Heath's Modern Language Series

FRENCH VERSE OF THE XVI CENTURY

SELECTED AND EDITED
WITH AN INTRODUCTION AND NOTES

BY

C. H. C. WRIGHT

PROFESSOR OF THE FRENCH LANGUAGE AND LITERATURE IN
HARVARD UNIVERSITY

D. C. HEATH & CO., PUBLISHERS
BOSTON NEW YORK CHICAGO

TABLE OF CONTENTS

INTRODUCTION

The French sixteenth century is a period of great poetical richness, and the poets of the age are too numerous to mention. Many of them were meagrely endowed with the divine fire, for the composition of verse was considered almost the duty of every scholar and educated man. Therefore, the poetry of the period includes much which deserves the oblivion it has received. On the other hand, an anthology of sixteenth-century verse contains of necessity some of the most graceful lines in French literature.

Inasmuch as the sixteenth century includes very striking changes in thought and the flowering of the Renaissance, we must expect to find a great difference between the writings of the beginning and those of the end of the century.

At the dawn of the century poetry is still under the influence of the late Middle Ages. The Great Rhetoricians are high in favor, and the mediæval verse-forms are used as a vehicle for plentiful allegory and complicated metre. If we leave aside Lemaire de Belges, however far he may be above the other *rhétoriqueurs*, Clément Marot stands forth as the first great poet of an era of transition, such as we find the early Renaissance to be. In Marot's own writings we notice a marked development as he passes from youth to maturity. He still frequently uses the old verse-forms, but the content is apt to be different, more personal, more modern. Nevertheless, Marot and his little band of followers are replaced by the Pléiade. A certain number of poets are often grouped with Marot, though at times they give hints which prove valuable to the Pléiade. Thus, Melin de Saint-Gelais belongs to the group of Marot, but he helps to make the sonnet popular. Charles Fontaine is a follower of Marot, but his Platonism foretells some of the poetical *motifs* of the new school.

The Pléiade was a group of ambitious, scholarly writers, humanists and lovers of antiquity, who desired to enrich the poetry of their own country by an ardent cult of Greek and Latin literature. Their conception of antiquity was, however, often modified by Italian literature which exerted a great influence upon them.

The leader of the Pléiade was Pierre de Ronsard, who tried with varying success to cultivate most of the poetical *genres:* lyric, epic, pastoral, etc. His chief friends and followers were Du Bellay, Baïf, Belleau, Jodelle, Daurat and Pontus de Thyard. But the name Pléiade includes an indeterminate number of poets under the sway of antiquity and of Italy. Their favorite, but by no means only, form of expression was lyric poetry, particularly the sonnet. Ronsard was the great Hellenist or exponent of Greek influence. Success in this he did not always achieve, and it was above the power of most of his fellow-poets. The majority of these were content to be Italianists. Their idealism has often been called a form of Platonism, because it had its remote sources in Plato. But it was more likely to take the shape in poetry of Petrarchism, the cult of Petrarch's sensuous idealism, or even more so of the sensual Italian imitators of Petrarch. Ronsard, the most ambitious lyric poet, was at times a Pindarist, in his soaring heroic odes based on those of Pindar, at times he followed in the wake of Horace or of the light Anacreontic verses.

Toward the end of the century, when Ronsard had grown old and had lost his enthusiasms, French poets, deprived of his leadership, fell somewhat away from their high aims. There had been in many of Ronsard's poems a strong moral strain, and this was still developed by certain poets like d'Aubigné and Du Bartas, who were not unfrequently Huguenots. But the conventional love-poets degenerated into Italianistic

Petrarchists, and flooded French court and society with innumerable soft and languishing verses. These were often graceful but frequently tedious by their conventional similarity. Of such poets the greatest and most popular was Desportes. But with him poetry seems to lose its vigor, and the tonic influence of a reformer like Malherbe was not out of place.

The beauty and melody of French sixteenth-century poetry have commended themselves to writers in English, and the notes to this edition testify to many translations and imitations. A necessarily incomplete list of those who have tried in modern times to make the French poets known to English and American readers includes: Louisa Costello, *Specimens of the Early Poetry of France;* Longfellow, *Poets and Poetry of Europe;* Andrew Lang, *Ballads and Lyrics of Old France*, and *Ballades and Rhymes;* George Wyndham, *Ronsard and la Plêiade;* C. H. Page, *Songs and Sonnets of Pierre de Ronsard;* John Payne, *Flowers of France.*

In the preparation of the present volume the editor acknowledges suggestions, and hints as to what to annotate, from some of the numerous French anthologies, for the use of students, either of poets in general, or of individual authors, including those of Becq de Fouquières, E. Voizard and A.-P. Lemercier. The study of the extracts in this volume should be accompanied by the literary comments in such works as Sainte-Beuve's *Tableau historique et critique de la poésie française et du théâtre français au XVIe siècle*, Faguet's *Seizième Siècle,* Petit de Julleville's *Histoire de la littérature française* Vol. III, and A. Tilley's *Literature of the French Renaissance.*

FRENCH VERSE OF THE XVI CENTURY

CLÉMENT MAROT

ÉGLOGUE AU ROY[1]

SOUBS LES NOMS DE PAN ET ROBIN

Un pastoureau, qui Robin s'appeloit,
Tout à par soy n'agueres s'en alloit
Parmy fousteaux[2] (arbres qui font umbrage),
Et là tout seul faisoit de grand courage[3]
Hault retentir les boys et l'air serain,
Chantant ainsi: « O Pan, dieu souverain,
Qui de garder ne fus onc paresseux
Parcs et brebis et les maistres d'iceux,
Et remects sus[4] tous gentilz pastoureaux
Quand ilz n'ont prez ne loges ne toreaux,
Je te supply (si onc en ces bas estres
Daignas ouyr chansonnettes champestres),
Escoute un peu, de ton vert cabinet,
Le chant rural du petit Robinet.
   Sur le printemps de ma jeunesse folle,
Je ressemblois l'arondelle[5] qui volle
Puis ça, puis là: l'aage me conduisoit,
Sans peur ne soing, où le cueur me disoit.
En la forest (sans la craincte des loups)
Je m'en allois souvent cueillir le houx,
Pour faire gluz à prendre oyseaulx ramages,[6]
Tous differens de chantz et de plumages;

Ou me souloys [1] (pour les prendre) entremettre
A faire bricz,[2] ou cages pour les mettre.
Ou transnouoys [3] les rivieres profondes,
Ou r'enforçoys sur le genoil les fondes,[4]
Puis d'en tirer droict et loing j'apprenois
Pour chasser loups et abbatre des noix.
  O quantesfoys [5] aux arbres grimpé j'ay,
Pour desnicher ou la pye ou le geay,
Ou pour jetter des fruictz ja meurs et beaulx
A mes compaings,[6] qui tendoient leurs chappeaux.
  Aucunefoys aux montaignes alloye,
Aucunefoys aux fosses devalloye,
Pour trouver là les gistes des fouynes,
Des herissons ou des blanches hermines,
Ou pas à pas le long des buyssonnetz
Allois cherchant les nidz des chardonnetz
Ou des serins, des pinsons ou lynottes.
  Desja pourtant je faisoys quelques nottes
De chant rustique, et dessoubz les ormeaux,
Quasy enfant, sonnoys des chalumeaux.
Si [7] ne sçaurois bien dire ne penser
Qui m'enseigna si tost d'y commencer,
Ou la nature aux Muses inclinée,
Ou ma fortune, en cela destinée
A te servir: si ce ne fust l'un d'eux,
Je suis certain que ce furent tous deux.
  Ce que voyant le bon Janot [8] mon pere,
Voulut gaiger à Jaquet [9] son compere
Contre un veau gras deux aignelletz bessons,[10]
Que quelque jour je feroys des chansons
A ta louenge (ô Pan, dieu tressacré),
Voyre [11] chansons qui te viendroyent à gré.

Et me souvient que bien souvent aux festes,
En regardant de loing paistre noz bestes,
Il me souloit une leçon donner
Pour doulcement la musette entonner,
Ou à dicter quelque chanson ruralle
Pour la chanter en mode pastoralle.
  Aussi le soir, que les trouppeaux espars
Estoient serrez et remis en leurs parcs,
Le bon vieillard après moy travailloit,[1]
Et à la lampe assez tard me veilloit,
Ainsi que font leurs sansonnetz ou pyes,
Auprès du feu bergeres accroupies.
Bien est il vray que ce luy estoit peine;
Mais de plaisir elle estoit si fort pleine,
Qu'en ce faisant sembloit au bon berger
Qu'il arrousoit en son petit verger
Quelque jeune ente, ou que teter faisoit
L'aigneau qui plus en son parc luy plaisoit;
Et le labeur qu'après moy il mit tant,
Certes, c'estoit affin qu'en l'imitant
A l'advenir je chantasse le los [2]
De toy (ô Pan), qui augmentas son clos,
Qui conservas de ses prez la verdure,
Et qui gardas son trouppeau de froidure.
  «Pan (disoit il), c'est le dieu triumphant
Sur les pasteurs; c'est celuy (mon enfant)
Qui le premier les roseaux pertuysa,[3]
Et d'en former des flustes s'advisa:
Il daigna [4] bien luy mesme peine prendre
D'user de l'art que je te veux apprendre.
Appren le donc, affin que montz et boys,
Rocz et estangs, apreignent soubz ta voix

A rechanter le hault nom après toy
De ce grand Dieu que tant je ramentoy; [1]
Car c'est celuy par qui foysonnera
Ton champ, ta vigne, et qui te donnera
Plaisante loge entre sacrez ruisseaux
Encourtinez [2] de flairans arbrisseaux.
  Là d'un costé [3] auras la grand' closture
De saulx espez, où pour prendre pasture
Mousches à miel [4] la fleur succer iront
Et d'un doulx bruit souvent t'endormiront,
Mesmes [5] allors que ta fluste champestre
Par trop chanter lasse sentiras estre.
  Puis tost après sur le prochain bosquet
T'esveillera la pye en son caquet:
T'esveillera aussi la columbelle, [6]
Pour rechanter encores de plus belle.»
Ainsi, soingneux de mon bien, me parloit
Le bon Janot, et il ne m'en chaloit; [7]
Car soucy lors n'avoys en mon courage
D'aucun bestail ne d'aucun pasturage.
  Quand printemps fault [8] et l'esté comparoit,
Adoncques [9] l'herbe en forme et force croist.
Aussi, quand hors du printemps j'euz esté,
Et que mes jours vindrent en leur esté,
Me creut le sens, mais non pas le soucy;
Si employay l'esprit, le corps aussi,
Aux choses plus à tel aage sortables,
A charpanter loges de boys portables,
A les rouler de l'un en l'autre lieu,
A y semer la jonchée au milieu,
A radouber treilles, buyssons et hayes
A proprement entrelasser les clayes

Pour les parquets des ouailles fermer,
Ou à tyssir [1] (pour frommages former)
Paniers d'osier et fiscelles de jonc,
Dont je souloys (car je l'aimoys adonc')
Faire present à Heleine la blonde.[2]
J'apprins les noms des quatre partz du monde,
J'apprins les noms des ventz qui de là sortent,
Leurs qualitez, et quel temps ilz apportent,
Dont les oiseaulx, sages devins des champs,
M'advertissoyent par leur volz et leurs chantz.
J'apprins aussi, allant aux pasturages,
A eviter les dangereux herbages,
Et à cognoistre et guerir plusieurs maulx
Qui quelquefoys gastoient les animaulx
De nos pastiz: mais par sus toutes choses,
D'autant que plus plaisent les blanches roses
Que l'aubespin, plus j'aymois à sonner
De la musette, et la fy resonner
En tous les tons et chantz de bucolicques,
En chantz piteuz, en chantz melancoliques.
Si qu'à mes plainctz un jour les Oreades,
Faunes, Silvans, Satyres et Dryades,
En m'escoutant jectèrent larmes d'yeux;
Si feirent bien les plus souverains Dieux;
Si feit Margot,[3] bergere qui tant vault.
Mais d'un tel pleur esbahyr ne se fault,
Car je faisois chanter à ma musette
La mort (helas!), la mort de Loysette,[4]
Qui maintenant au ciel prend ses esbatz
A veoir encor ses trouppeaux icy bas.
Une autre foys, pour l'amour de l'amye,
A tous venans pendy la challemye,[5]

Et ce jour là à grand' peine on sçavoit
Lequel des deux gaigné le prix avoit,
Ou de Merlin [1] ou de moy: dont à l'heure
Thony [2] s'en vint sur le pré grand' alleure
Nous accorder, et orna deux houlettes
D'une longueur, de force violettes:
Puis nous en feit present pour son plaisir:
Mais à Merlin je baillé [3] à choisir.
Et penses tu (ô Pan, dieu debonnaire)
Que l'exercice et labeur ordinaire
Que pour sonner du flajolet je pris
Fust seulement pour emporter le prix?
Non, mais afin que si bien j'en apprinse,
Que toy, qui es des pastoureaux le prince,
Prinsses plaisir à mon chant escouter,
Comme à ouyr la marine flotter
Contre la rive, ou des roches haultaines
Ouyr tomber contre val les fontaines.
Certainement, c'estoit le plus grand soing
Que j'eusse alors, et en prens à tesmoing
Le blond Phebus qui me voyt et regarde,
Si l'espesseur de ce boys ne l'en garde,
Et qui m'a veu traverser maint rocher
Et maint torrent pour de toy approcher.[4]
Or m'ont les dieux celestes et terrestres
Tant faict heureux, mesmement les sylvestres,
Qu'en gré tu prins mes petis sons rustiques,
Et exaulças mes hymnes et cantiques,
Me permettant les chanter en ton temple,
Là où encor l'image je contemple
De ta haulteur, qui en l'une main porte
De dur cormier houlette riche et forte,

Et l'autre tient chalemelle fournye
De sept tuyaux, faictz selon l'armonye
Des cieulx, où sont les sept Dieux clairs et haulx,
Et denotans les sept artz [1] liberaulx,
Qui sont escriptz dedans ta teste saincte,
Toute de pin bien couronnée et ceincte.
  Ainsi, et donc en l'esté de mes jours,
Plus me plaisoit aux champestres sejours
Avoir faict chose (ô Pan) qui t'agréast,
Ou qui l'oreille un peu te recreast,
Qu'avoir autant de moutons que Tytire; [2]
Et plus (cent foys) me plaisoit d'ouyr dire:
« Pan faict bon œil à Robin le berger, »
Que veoir chés nous trois cens beufz heberger;
Car soucy lors n'avoys en mon courage [3]
D'aucun bestail ne d'aucun pasturage.
  Mais maintenant que je suis en l'autonne,
Ne sçay quel soing inusité m'estonne
De tel' façon, que de chanter la veine
Devient en moy, non point lasse ne vaine,
Ains [4] triste et lente, et certes, bien souvent,
Couché sur l'herbe, à la frescheur du vent,
Voy ma musette à un arbre pendue
Se plaindre à moy qu'oysive l'ay rendue;
Dont tout à coup mon desir se resveille,
Qui de chanter voulant faire merveille,
Trouve ce soing devant ses yeulx planté,
Lequel le rend morne et espoventé:
Car tant est soing basanné, layd, et pasle,
Qu'à son regard la Muse pastoralle,
Voyre la Muse heroyque et hardie,
En un moment se trouve refroidie,

Et devant luy vont fuyant toutes deux
Comme brebis devant un loup hydeux.
  J'oy d'autre part le pyvert jargonner,
Siffler l'escouffle et le buttor tonner,
Voy l'estourneau, le heron et l'aronde
Estrangement voller tout à la ronde,
M'advertissans de la froide venue
Du triste yver, qui la terre desnue.
  D'autre costé j'oy la bise arriver,
Qui en soufflant me prononce l'yver;
Dont mes trouppeaux, cela craignans et pis,
Tous en un tas se tiennent accroupis,
Et diroit on, à les ouyr beller,
Qu'avecques moy te veulent appeller
A leur secours, et qu'ilz ont congnoissance
Que tu les as nourriz dès leur naissance.
  Je ne quiers pas [1] (ô bonté souveraine)
Deux mille arpentz de pastiz en Touraine,
Ne mille beufz errants par les herbis [2]
Des montz d'Auvergne, ou autant de brebis.
Il me suffit que mon trouppeau preserves
Des loups, des ours, des lyons, des loucerves,[3]
Et moy du froid, car l'yver qui s'appreste
A commencé à neiger sur ma teste.
  Lors à chanter plus soing ne me nuyra,
Ains devant moy plus viste s'enfuyra
Que devant luy ne vont fuyant les Muses,
Quand il verra que de faveur tu m'uses.
  Lors ma musette, à un chesne pendue,
Par moy sera promptement descendue,
Et chanteray l'yver à seureté
Plus hault (et clair) que ne feiz onc l'esté.

Lors en science, en musique et en son
Un de mes vers vauldra une chanson,
Une chanson, une eglogue rustique,
Et une eglogue, une œuvre bucolique.
Que diray plus? [1] vienne ce qui pourra:
Plus tost le Rosne encontremont courra,
Plus tozt seront haultes foretz sans branches,
Les cygnes noirs et les corneilles blanches,
Que je t'oublie (ô Pan de grand renom),
Ne que je cesse à louer ton hault nom.
Sus, mes brebis, trouppeau petit et maigre,
Autour de moy saultez de cueur allaigre,
Car desja Pan, de sa verte maison,
M'a faict ce bien d'ouyr mon oraison.

A SON AMY LYON [2]

Je ne t'escry de l'amour [3] vaine et folle:
Tu voys assez [4] s'elle sert ou affolle;
Je ne t'escry ne d'armes ne de guerre:
Tu voys qui peult [5] bien ou mal y acquerre; [6]
Je ne t'escry de fortune puissante:
Tu voys assez s'elle est ferme ou glissante;
Je ne t'escry d'abus trop abusant:
Tu en sçais prou [7] et si n'en vas usant;
Je ne t'escry de Dieu ne sa puissance:
C'est à luy seul t'en donner congnoissance;
Je ne t'escry des dames de Paris:
Tu en sçais plus que leurs propres marys;
Je ne t'escry qui est rude ou affable,
Mais je te veulx dire une belle fable,
C'est à sçavoir, du lyon et du rat.

Cestuy [1] lyon, plus fort qu'un vieil verrat,
Veit une foys que le rat ne sçavoit
Sortir d'un lieu, pour autant qu'il avoit
Mengé le lard et la chair toute crue;
Mais ce lyon (qui jamais ne fut grue)
Trouva moyen et maniere et matiere,
D'ongles et dens, de rompre la ratiere,
Dont maistre rat eschappe vistement,
Puis meit à terre un genouil gentement,
Et en ostant son bonnet de la teste,
A mercié mille foys la grand' beste,
Jurant le Dieu des souris et des ratz
Qu'il luy rendroit. Maintenant tu verras
Le bon du compte.[2] Il advint d'aventure
Que le lyon pour chercher sa pasture
Saillit dehors sa caverne et son siege,
Dont (par malheur) se trouva pris au piege,
Et fut lié contre un ferme posteau.
Adonc le rat, sans serpe ne cousteau,
Y arriva joyeux et esbaudy,
Et du lyon (pour vray) ne s'est gaudy,[3]
Mais despita chatz, chates et chatons,
Et prisa fort ratz, rates et ratons,
Dont [4] il avoit trouvé temps favorable
Pour secourir le lyon secourable,
Auquel a dict: « Tais toy, lyon lié,
Par moy seras maintenant deslyé:
Tu le vaulx bien, car le cueur joly as;
Bien y parut quant tu me deslyas.
Secouru m'as fort lyonneusement;
Or secouru seras rateusement.»

Lors le lyon ses deux grans yeulx vestit,[1]
Et vers le rat les tourna un petit
En luy disant: « O povre vermyniere,
Tu n'as sur toy instrument ne maniere,
Tu n'as cousteau, serpe ne serpillon,
Qui sceust coupper corde ne cordillon
Pour me jecter de ceste etroicte voye;
Va te cacher, que le chat ne te voye.
— Sire lyon (dit le filz de souris),
De ton propos (certes), je me soubzris:[2]
J'ay des cousteaux assez, ne te soucie,
De bel os blanc, plus trenchans qu'une scye;
Leur gaine, c'est ma gencive et ma bouche;
Bien coupperont la corde qui te touche
De si tresprès, car j'y mettray bon ordre.»
Lors sire rat va commencer à mordre
Ce gros lien: vray est qu'il y songea
Assez long temps; mais il le vous rongea
Souvent, et tant, qu'à la parfin[3] tout rompt,
Et le lyon de s'en aller fut prompt,
Disant en soy: « Nul plaisir[4] (en effect)
Ne se perd point quelque part où soit faict.»
Voyla le compte en termes rithmassez:
Il est bien long, mais il est vieil assez,
Tesmoing Esope, et plus d'un million.
Or viens me veoir pour faire le lyon,
Et je mettray peine, sens et estude
D'estre le rat, exempt d'ingratitude,
J'entends, si Dieu te donne autant d'affaire,
Qu'au grand lyon, ce qu'il ne vueille faire.

DE FRÈRE LUBIN [1]

Pour courir en poste à la ville
Vingt foys, cent foys, ne sçay combien;
Pour faire quelque chose vile,
Frere Lubin le fera bien;
Mais d'avoir honneste entretien,
Ou mener vie salutaire,
C'est à faire à un bon chrestien,
Frere Lubin ne le peult faire.

Pour mettre (comme un homme habile)
Le bien d'autruy avec le sien,
Et vous laisser sans croix ne pile,[2]
Frere Lubin le fera bien:
On a beau dire je le tien,
Et le presser de satisfaire,
Jamais ne vous en rendra rien,
Frere Lubin ne le peult faire.

Pour desbaucher par un doulx stile
Quelque fille de bon maintien,
Point ne fault de vieille subtile,
Frere Lubin le fera bien.
Il presche en theologien,
Mais pour boire de belle eau claire,
Faictes la boire à vostre chien,
Frere Lubin ne le peult faire.

ENVOY

Pour faire plus tost mal que bien,
Frere Lubin le fera bien;
Et si c'est quelque bon affaire,
Frere Lubin ne le peult faire.

DE L'AMOUR DU SIÈCLE ANTIQUE [1]

Au bon vieulx temps un train d'amour regnoit
Qui sans grant art et dons se demenoit,
Si qu'un [2] bouquet donné d'amour profonde,
C'estoit donné [3] toute la terre ronde,
Car seulement au cueur on se prenoit.

Et si par cas [4] à jouyr on venoit,
Sçavez-vous bien comme on s'entretenoit? [5]
Vingt ans, trente ans: cela duroit un monde
Au bon vieulx temps.

Or est perdu ce qu'amour ordonnoit:
Rien que pleurs fainctz, rien que changes on n'oyt: [6]
Qui vouldra donc qu'à aymer je me fonde,
Il fault premier que l'amour on refonde,
Et qu'on la meine [7] ainsi qu'on la menoit
Au bon vieulx temps.

DU LIEUTENANT CRIMINEL
ET DE SAMBLANÇAY

Lors que Maillart, juge d'Enfer,[8] menoit
A Monfaulcon Samblançay [9] l'ame rendre,
A vostre advis, lequel des deux tenoit
Meilleur maintien? Pour le vous faire entendre,
Maillart sembloit homme qui mort va prendre
Et Samblançay fut si ferme vieillart,
Que l'on cuydoit,[10] pour vray, qu'il menast pendre
A Monfaulcon le lieutenant Maillart.

MELIN DE SAINT-GELAIS

Voyant [1] ces monts de veue ainsi lointaine,
Je les compare à mon long desplaisir:
Haut est leur chef, et haut est mon désir,
Leur pied est ferme, et ma foy est certaine.

D'eux maint ruisseau coule, et mainte fontaine:
De mes deux yeux sortent pleurs à loisir;
De forts souspirs ne me puis dessaisir,
Et de grands vents leur cime est toute pleine,

Mille troupeaux s'y promènent et paissent,
Autant d'Amours se couvent et renaissent
Dedans mon cœur, qui seul est leur pasture.

Ils sont sans fruit, mon bien n'est qu'aparence,
Et d'eux à moy n'a qu'une difference,
Qu'en eux la neige, en moy la flamme dure.

CHARLES FONTAINE

CHANT SUR LA NAISSANCE DE JAN, SECOND FILZ DE L'AUTEUR

Mon petit filz qui n'as encore rien veu,
A ce matin ton pere te salue:
Vien t'en, vien voir ce monde bien pourveu
D'honneurs et biens qui sont de grant value:
Vien voir la paix en France descendue:
Vien voir Françoys,[1] nostre Roy et le tien,
Qui a la France ornée et deffendue:
Vien voir le monde où y a tant de bien.

Vien voir le monde où y a tant de maux,
Vien voir ton pere en procès et en peine:
Vien voir ta mere en douleurs et travaux
Plus grands que quand elle estoit de toy pleine:
Vien voir ta mere à qui n'as laissé veine
En bon repos: vien voir ton pere aussi,
Qui a passé sa jeunesse soudaine,
Et à trente ans est en peine et souci.

Jan, petit Jan, vien voir ce tant beau monde,
Ce ciel d'azur, ces estoilles luisantes,
Ce soleil d'or, cette grande terre ronde,
Cette ample mer, ces rivieres bruyantes,
Ce bel air vague, et ces nues courantes,
Ces beaux oyseaux qui chantent à plaisir,
Ces poissons frais et ces bestes paissantes:
Vien voir le tout à souhait et désir.

Vien voir le tout sans désir et souhait,
Vien voir le monde en divers troublemens,
Vien voir le ciel que jà la terre hait,
Vien voir combat entre les élémens:
Vien voir l'air plein de rudes soufflemens,
De dure gresle et d'horribles tonnerres:
Vien voir la terre en peine et tremblemens:
Vien voir la mer noyant villes et terres.

Enfant petit, petit et bel enfant,
Masle bien fait, chef d'œuvre de ton pere,
Enfant petit en beauté triomphant,
La grand liesse et joye de ta mere,
Le ris, l'esbat de ma jeune commere,
Et de ton pere aussi certainement
Le grand espoir et l'attente prospere,
Tu sois venu au monde eureusement.

Petit enfant, peux tu le bien venu
Estre sur terre, où tu n'apportes rien?
Mais où tu viens comme un petit ver nu?
Tu n'as ne drap ne linge qui soit tien,
Or, ny argent, n'aucun bien terrien:
A pere et mere apportes seulement
Peine et souci: et voilà tout ton bien.
Petit enfant, tu viens bien povrement.

De ton honneur ne vueil plus estre chiche,
Petit enfant de grand bien jouissant,
Tu viens au monde aussi grand, aussi riche
Comme le Roy, et aussi florissant:
Ton trésorier c'est Dieu le tout puissant,
Grâce divine est ta mere nourrice:
Ton héritage est le ciel splendissant:
Tes serviteurs sont les anges sans vice.[1]

LOUISE LABÉ

Tant que mes yeus pourront larmes espandre,
  A l'heur [1] passé avec toy regretter:
  Et qu'aus sanglots et soupirs resister
  Pourra ma voix, et un peu faire entendre:
Tant que ma main pourra les cordes tendre
  Du mignart Lut, pour tes graces chanter:
  Tant que l'esprit se voudra contenter
  De ne vouloir rien fors que [2] toy comprendre:
Je ne souhaitte encore point mourir.
  Mais quand mes yeus je sentirai tarir,
  Ma voix cassée, et ma main impuissante,
Et mon esprit en ce mortel sejour
  Ne pouvant plus montrer signe d'amante:
  Priray la Mort noircir mon plus cler jour.

PIERRE DE RONSARD

AMOURS

I

From the First Book, to Cassandre

I

Qui voudra voir comme un Dieu me surmonte,
Comme il m'assaut, comme il se fait vainqueur,
Comme il renflame et renglace mon cœur,
Comme il reçoit un honneur de ma honte;
Qui voudra voir une jeunesse pronte
A suivre en vain l'objet de son malheur,
Me vienne voir, il voirra ma douleur,
Et la rigueur de l'archer [1] qui me domte.
Il cognoistra combien la raison peut
Contre son arc, quand une fois il veut
Que nostre cueur son esclave demeure;
Et si verra que je suis trop heureux
D'avoir au flanc l'aiguillon amoureux,
Plein du venin dont il faut que je meure.

XVI

Je veux pousser par l'univers ma peine,
Plus tost qu'un trait ne vole au décocher; [2]
Je veux aussi mes oreilles bouscher,
Pour n'ouyr plus la voix de ma sereine.[3]
Je veux muer [4] mes deux yeux en fontaine,
Mon cœur en feu, ma teste en un rocher,

Mes piés en tronc, pour jamais n'approcher
De sa beauté si fierement humaine.
 Je veux changer mes pensers en oyseaux,
Mes doux soupirs en zephyres nouveaux,
Qui par le monde éventeront ma plainte.
 Je veux encore de ma palle couleur
Aux bords du Loir [1] faire naistre une fleur,
Qui de mon nom et de mon mal soit peinte.

XIX

 Avant le temps tes tempes fleuriront,[2]
De peu de jours ta fin sera bornée,
Avant ton soir se clorra ta journée,
Trahis d'espoir tes pensers periront.
 Sans me flechir tes escrits fletriront,
En ton desastre [3] ira ma destinée,
Ta mort sera pour m'amour [4] terminée,
De tes souspirs tes neveux [5] se riront;
 Tu seras fait du vulgaire la fable,
Tu bastiras sur l'incertain du sable,
Et vainement tu peindras dans les cieux.[6]
 Ainsi disoit la nymphe qui m'affolle,[7]
Lors que le ciel, témoin de sa parole,
D'un dextre [8] éclair fut presage à mes yeux.[9]

LVII

 Divin Bellay,[10] dont les nombreuses [11] lois,
Par une ardeur du peuple separée,[12]
Ont revestu l'enfant de Cytherée [13]
D'arc, de flambeau, de traicts et de carquois;
 Si le doux feu dont jeune tu ardois [14]
Enflame encor' ta poitrine sacrée;

Si ton oreille encore se recrée
D'ouïr les plaints des amoureuses vois;
  Oy [1] ton Ronsard, qui sanglote et lamente,
Pâle, agité des flots de la tourmente,
Croizant en vain ses mains devers les cieux,
  En fraile nef,[2] et sans voile et sans rame,
Et loin du bord où, pour astre, sa dame
Le conduisoit du phare de ses yeux.

XCV

  Pren ceste rose, aimable comme toy,
Qui sers de rose aux roses les plus belles,
Qui sers de fleur aux fleurs les plus nouvelles,
Dont la senteur me ravit tout de moy.
  Pren ceste rose, et ensemble reçoy
Dedans ton sein mon cœur, qui n'a point d'ailes;
Il est constant, et cent playes cruelles
N'ont empesché qu'il ne gardast sa foy.
  La rose et moy differons d'une chose:
Un soleil voit naistre et mourir la rose;
Mille soleils ont vu naistre m'amour,
  Dont l'action jamais ne se repose.
Ha! plut à Dieu que telle amour, éclose
Comme une fleur, ne m'eust duré qu'un jour!

CLIX

  Voicy le bois que ma saincte Angelette
Sur le printemps anima de son chant;
Voicy les fleurs où son pied va marchant,
Lorsque, pensive, elle s'ébat seulette;
  Io,[3] voicy la prée [4] verdelette
Qui prend vigueur de sa main la touchant,

Quand pas à pas, pillarde, va cherchant
Le bel émail de l'herbe nouvelette.
  Icy chanter, là pleurer je la vy,
Icy sourire, et là je fu ravy
De ses beaux yeux par lesquels je des-vie;[1]
  Icy s'asseoir, là je la vy danser:
Sus le mestier d'un si vague penser
Amour ourdit les trames de ma vie.

II

From the Second Book, to Marie

XVIII

  Mignonne, levez-vous, vous estes paresseuse,
Ja la gaye alouette au ciel a fredonné,
Et ja le rossignol doucement jargonné,
Dessus l'espine assis, sa complainte amoureuse.
  Sus! debout! allons voir l'herbelette perleuse,
Et vostre beau rosier de boutons couronné,
Et vos œillets aimés ausquels aviez donné
Hier au soir de l'eau d'une main si soigneuse.
  Hier en vous couchant vous me fistes promesse
D'estre plutost que moy ce matin eveillée,
Mais le sommeil vous tient encor toute sillée.
  Ha! je vous punirai du péché de paresse,
Je vay baiser vos yeux et vostre beau tetin
Cent fois pour vous apprendre à vous lever matin.

XXVII

  Hé! que voulez-vous dire? Estes-vous si cruelle
De ne vouloir aimer? Voyez les passereaux

Qui demenent l'amour; voyez les colombeaux,
Regardez le ramier, voyez la tourterelle;
  Voyez deçà, delà, d'une fretillante aile
Voleter par les bois les amoureux oiseaux;
Voyez la jeune vigne embrasser les ormeaux,
Et toute chose rire en la saison nouvelle.
  Icy la bergerette, en tournant son fuseau,
Desgoise ses amours, et là le pastoureau
Respond à sa chanson. Icy toute chose aime;
  Tout parle de l'amour, tout s'en veut enflammer;
Seulement vostre cœur, froid d'une glace extreme,
Demeure opiniastre et ne veut point aimer.

CHANSON

  Le printemps n'a point tant de fleurs,
L'automne tant de raisins murs,
L'esté tant de chaleurs hâlées,
L'hyver tant de froides gelées,
Ny la mer n'a tant de poissons,
Ny la Beausse [1] tant de moissons,
Ny la Bretaigne tant d'arenes,[2]
Ny l'Auvergne tant de fontaines,
Ny la nuict tant de clairs flambeaux,
Ny les forests tant de rameaux,
Que je porte au cœur, ma maistresse,
Pour vous de peine et de tristesse.

IV (OF THE SECOND PART)

  Comme on void sur la branche au mois de may la rose
En sa belle jeunesse, en sa premiere fleur,
Rendre le ciel jaloux de sa vive couleur,

Quand l'aube de ses pleurs au poinct du jour l'arrose,
La Grace dans sa fueille et l'Amour se repose,
Embasmant [1] les jardins et les arbres d'odeur;
Mais batue ou de pluye ou d'excessive ardeur,
Languissante, elle meurt, fueille à fueille déclose.[2]
Ainsi en ta premiere et jeune nouveauté,
Quand la terre et le ciel honoroient ta beauté,
La Parque [3] t'a tuée, et cendre tu reposes.
Pour obseques reçoy mes larmes et mes pleurs,
Ce vase plein de laict, ce pannier plein de fleurs,
A fin que, vif et mort, ton corps ne soit que roses.[4]

III

From the « Sonnets pour Hélène »

Book I

XXXVI

Vous me distes, maistresse, estant à la fenestre,
Regardant vers Montmartre [5] et les champs d'alentour :
« La solitaire vie et le desert sejour
Valent mieux que la Cour; je voudrois bien y estre.
A l'heure mon esprit de mes sens seroit maistre,
En jeusne et oraisons je passerois le jour,
Je desfi'rois les traicts et les flames d'Amour;
Ce cruel de mon sang ne pourroit se repaistre.»
Quand je vous respondy: « Vous trompez de penser
Qu'un feu ne soit pas feu pour se couvrir de cendre;
Sus les cloistres sacrez la flame on void passer,
Amour dans les deserts comme aux villes s'engendre.
Contre un dieu si puissant, qui les dieux peut forcer,
Jeusnes ny oraisons ne se peuvent defendre.»

Book II

VIII

Je plante en ta faveur cet arbre de Cybelle,[1]
Ce pin, où tes honneurs se liront tous les jours:
J'ay gravé sur le tronc nos noms et nos amours,
Qui croistront à l'envy de l'escorce nouvelle.
Faunes, qui habitez ma terre paternelle,
Qui menez sur le Loir vos danses et vos tours,
Favorisez la plante et luy donnez secours,
Que l'esté ne la brusle et l'hyver ne la gelle.
Pasteur qui conduiras en ce lieu ton troupeau,
Flageollant [2] une eclogue en ton tuyau d'aveine,[3]
Attache tous les ans à cest arbre un tableau
Qui tesmoigne aux passans mes amours et ma peine;
Puis, l'arrosant de laict et du sang d'un agneau,
Dy: « Ce pin est sacré, c'est la plante d'Helene. »

XLII

Quand vous serez bien vieille,[4] au soir, à la chandelle,
Assise auprès du feu, devidant [5] et filant,
Direz, chantant mes vers, et vous esmerveillant:
Ronsard me celebroit du temps que j'estois belle.
Lors vous n'aurez servante oyant telle nouvelle,
Desja sous le labeur à demy someillant,
Qui, au bruit de Ronsard, ne s'aille réveillant,
Benissant vostre nom de louange immortelle.
Je seray sous la terre, et, fantosme sans os,
Par les ombres myrteux je prendray mon repos;
Vous serez au fouyer une vieille accroupie,

Regrettant mon amour et vostre fier desdain.
Vivez, si m'en croyez, n'attendez à demain;
Cueillez dés aujourd'huy les roses de la vie.

LXVI

Il ne faut s'esbahir, disoient ces bons vieillars [1]
Dessus le mur troyen, voyans passer Helene,
Si pour telle beauté nous souffrons tant de peine:
Nostre mal ne vaut pas un seul de ses regars.
Toutesfois il vaut mieux, pour n'irriter point Mars
La rendre à son espoux, afin qu'il la remmeine,
Que voir de tant de sang nostre campagne pleine,
Nostre havre gaigné, l'assaut à nos rempars.
Peres, il ne falloit, à qui la force tremble,
Par un mauvais conseil les jeunes retarder;
Mais, et jeunes et vieux, vous deviez tous ensemble
Pour elle corps et biens et ville hazarder.
Menelas fut bien sage et Pâris, ce me semble,
L'un de la demander, l'autre de la garder.

LXXVI

Vous ruisseaux, vous rochers, et vous antres solitaires,
Vous chesnes, heritiers du silence des bois,
Entendez les souspirs de ma derniere vois,
Et de mon testament soyez presents notaires.
Soyez de mon malheur fideles secretaires,
Gravez-le en vostre escorce, à fin que tous les mois
Il croisse comme vous; cependant je m'en-vois [2]
Là bas privé de sens, de veines et d'artères.
Je meurs pour la rigueur d'une fière beauté
Qui vit sans foy, sans loy, amour ne loyauté,
Qui me succe le sang comme un tigre sauvage.

Adieu, forests, adieu! Adieu le verd sejour
De vos arbres, heureux pour ne cognoistre Amour
Ny sa mère, qui tourne en fureur le plus sage.

IV

From the « Pièces retranchées »

XVII

Je vous envoye un bouquet que ma main
Vient de trier de ces fleurs épanies;
Qui ne les eust à ce vespre [1] cueillies,
Cheutes à terre elles fussent demain.
Cela vous soit un exemple certain
Que vos beautez, bien qu'elles soient fleuries,
En peu de temps seront toutes flaitries,
Et, comme fleurs, periront tout soudain.
Le temps s'en va,[2] le temps s'en va, ma dame;
Las! le temps non, mais nous nous en allons,
Et tost serons estendus sous la lame.[3]
Et des amours desquelles nous parlons,
Quand serons morts, n'en sera plus nouvelle.
Pour ce aymez-moy ce pendant qu'estes belle.

XLIV

Rossignol, mon mignon, qui dans ceste saulaye
Vas seul de branche en branche à ton gré voletant,
Et chantes à l'envy de moy qui vais chantant
Celle qu'il faut tousjours que dans la bouche j'aye,
Nous souspirons tous deux: ta douce voix s'essaye
De sonner les amours d'une qui t'aime tant,
Et moy, triste, je vais la beauté regrettant
Qui m'a fait dans le cœur une si aigre playe.

Toutesfois, Rossignol, nous differons d'un poinct:
C'est que tu es aimé, et je ne le suis point,
Bien que tous deux ayons les musiques pareilles.
Car tu fléchis t'amie au doux bruit de tes sons,
Mais la mienne qui prent à dépit mes chansons,
Pour ne les escouter se bouche les aureilles.

LI

Je veux lire en trois jours l'Iliade d'Homere,
Et pour ce, Corydon,[1] ferme bien l'huis [2] sur moy;
Si rien [3] me vient troubler, je t'asseure ma foy,
Tu sentiras combien pesante est ma colere.
Je ne veux seulement que nostre chambriere
Vienne faire mon lit, ton compagnon ny toy;
Je veux trois jours entiers demeurer à requoy,[4]
Pour follastrer après une sepmaine entiere.
Mais si quelqu'un venoit de la part de Cassandre,
Ouvre-luy tost la porte, et ne le fais attendre,
Soudain entre en ma chambre et me vien accoustrer.
Je veux tant seulement à luy seul me monstrer;
Au reste, si [5] un dieu vouloit pour moy descendre
Du ciel, ferme la porte, et ne le laisse entrer.

ODES

A MADAME MARGUERITE [6]

DUCHESSE DE SAVOIE, SŒUR DU ROY HENRY II

Strophe I

Il faut aller contenter
L'aureille de Marguerite,
Et en son palais chanter
Quel honneur elle merite.

Debout, Muses, qu'on m'attelle
Vostre charrette immortelle,
Afin qu'errer je la face
Par une nouvelle trace,
Chantant la vierge autrement
Qu'un tas de rimeurs barbares
Qui ses louanges si rares
Luy souilloient premierement.

Antistrophe

J'ay sous l'esselle [1] un carquois
Gros de fleches nompareilles,
Qui ne font bruire leurs vois
Que pour les doctes aureilles.
Leur roideur n'est apparente
A telle bande ignorante
Quand une d'elles annonce
L'honneur que mon arc enfonce.
Entre toutes j'esliray
La mieux sonnante, et de celle
Par la terre universelle
Ses vertus je publiray.

Epode

Sus, ma Muse, ouvre la porte
A tes vers plus doux que le miel,
Afin qu'une fureur sorte
Pour la ravir jusqu'au ciel.
Du croc arrache la lyre
Qui tant de gloire t'acquit,
Et vien sur ses cordes dire
Comme la Vierge nasquit.

Strophe II

Par un miracle nouveau,
Un jour Pallas de sa lance
Ouvrit le docte cerveau
De François, seigneur de France.
Alors, estrange nouvelle!
Tu nasquis de sa cervelle,
Et les Muses, qui là furent,
En leur giron te receurent.
Mais, quand le temps eut parfait
L'accroissance de ton age,
Tu pensas en ton courage [1]
De mettre à chef [2] un grand fait.

Antistrophe

Tes mains s'armèrent alors
De l'horreur de deux grand's haches,
Sous un beau harnois de cors
Tout l'estomach tu te caches;
Une menassante creste
Flotoit au haut de ta teste,
Refrappant la gueule horrible
D'une Meduse terrible:
Ainsi tu allas trouver
Le vilain monstre Ignorance,
Qui souloit [3] toute la France
Dessous son ventre couver.

Epode

L'ire qui la beste eslance
En vain irrita son cœur,

Poussant son mufle en défence
Encontre ton bras vainqueur;
Car le fer prompt à l'abbattre
En son ventre est ja caché,
Et ja trois fois, voire [1] quatre,
Le cœur luy a recherché.

Strophe III

Le monstre gist [2] estendu,
L'herbe en sa playe se souille;
Aux Muses tu as pendu
Pour trophée sa despouille;
Puis, versant de ta poitrine
Mainte source de doctrine,
Aux François tu fis cognestre
Le miracle de ton estre.
Pour cela je chanteray
Ce bel hymne de victoire,
Et sur l'autel de Memoire
L'enseigne j'en planteray.

Antistrophe

Mais moy, qui suis le tesmoin
De ton loz [3] qui le monde orne,
Il ne faut ruer si loin
Que mon train passe la borne.
Frappe à ce coup Marguerite
Par le but de son merite
Qui luit comme une planette
Des flots de la mer brunette.
Repandons devant ses yeux

Ma musique tousjours neuve
Et le nectar dont j'abreuve
Les honneurs dignes des cieux,

Epode

Afin que la nymphe voye
Que mon luth premierement
Aux François monstra la voye
De sonner si proprement,
Et comme imprimant ma trace
Au champ attiq' et romain,
Callimach', Pindare, Horace,[1]
Je déterray de ma main.

A CASSANDRE [2]

Mignonne, allons voir si la rose,
Qui ce matin avoit desclose
Sa robe de pourpre au soleil,
A point perdu ceste vesprée [3]
Les plis de sa robe pourprée,
Et son teint au vostre pareil.

Las! voyez comme en peu d'espace,
Mignonne, elle a dessus la place,
Las, las, ses beautez laissé cheoir!
O vrayment marastre nature,
Puis qu'une telle fleur ne dure
Que du matin jusques au soir!

Donc, si vous me croyez, mignonne,
Tandis que vostre age fleuronne [4]

En sa plus verte nouveauté,
Cueillez, cueillez vostre jeunesse:
Comme à ceste fleur, la vieillesse
Fera ternir vostre beauté.

A LA FONTAINE BELLERIE

O fontaine Bellerie,[1]
Belle déesse chérie
De nos nymphes, quand ton eau
Les cache au fond de ta source,
Fuyantes [2] le satyreau [3]
Qui les pourchasse à la course
Jusqu'au bord de ton ruisseau,

Tu es la nymphe éternelle
De ma terre paternelle.
Pour ce, en ce pré verdelet,
Voy ton poete qui t'orne
D'un petit chevreau de lait,
A qui l'une et l'autre corne
Sortent du front nouvelet.

Toujours l'esté je repose
Près ton onde, où je compose,
Caché sous tes saules vers,
Je ne sçay quoy, qui ta gloire
Envoirra par l'univers,
Commandant à la mémoire
Que tu vives par mes vers.

L'ardeur de la canicule
Jamais tes rives ne brule,

Tellement qu'en toutes pars
Ton ombre est espaisse et drue
Aux pasteurs venans des parcs,
Aux bœufs las de la charrue
Et au bestial [1] espars.

Iô, tu seras sans cesse
Des fontaines la princesse,
Moi celebrant le conduit
Du rocher percé qui darde
Avec un enroué bruit
L'eau de ta source jazarde,[2]
Qui trepillante [3] se suit.

A LA FOREST DE GASTINE [4]

Couché sous tes ombrages vers,
  Gastine, je te chante
Autant que les Grecs, par leurs vers,
  La forest d'Erymanthe: [5]
Car, malin, celer je ne puis
  A la race future
De combien obligé je suis
  A ta belle verdure.
Toy qui, sous l'abry de tes bois,
  Ravy d'esprit m'amuses;
Toy qui fais qu'à toutes les fois
  Me respondent les Muses;
Toy par qui de l'importun soin
  Tout franc je me delivre,
Lors qu'en toy je me pers bien loin,
  Parlant avec un livre,

Tes boccages soient tousjours pleins
  D'amoureuses brigades
De Satyres et de Sylvains,
  La crainte des Naiades!
En toy habite desormais
  Des Muses le college,
Et ton bois ne sente jamais
  La flame sacrilege!

A SON LAQUAIS

J'ay l'esprit tout ennuyé
D'avoir trop estudié
Les Phenomenes d'Arate: [1]
Il est temps que je m'esbate
Et que j'aille aux champs jouer.
Bon dieux! qui voudroit louer
Ceux qui, collez sur un livre,
N'ont jamais soucy de vivre?
  Que nous sert l'estudier,
Sinon de nous ennuyer
Et soing dessus soing accrestre,[2]
A qui nous serons peut-estre,
Ou ce matin, ou ce soir,
Victime de l'Orque [3] noir,
De l'Orque qui ne pardonne,
Tant il est fier,[4] à personne?
  Corydon,[5] marche devant;
Sçache où le bon vin se vend.
Fais après à ma bouteille,
Des feuilles de quelque treille,
Un tapon [6] pour la boucher.

Ne m'achete point de chair,
Car, tant soit-elle friande,
L'esté je hay la viande.
Achete des abricôs,
Des pompons,[1] des artichôs,
Des fraises et de la crême:
C'est en esté ce que j'aime,
Quand, sur le bord d'un ruisseau,
Je les mange au bord de l'eau,
Estendu sur le rivage
Ou dans un antre sauvage.
Ores que [2] je suis dispos,
Je veux rire sans repos,
De peur que la maladie
Un de ces jours ne me die,
Me happant à l'impourveu:
« Meurs, gallant: c'est assez beu.»

L'AMOUR MOUILLÉ [3]

AU SIEUR ROBERTET [4]

Du malheur de recevoir
Un estranger sans avoir
De luy quelque cognoissance
Tu as fait experiance,
Menelas,[5] ayant receu
Pâris, dont tu fus deceu;
Et moy je la viens de faire,
Las! qui ay voulu retraire [6]
Tout soudain un estranger
Dans ma chambre et le loger.

Il estoit minuict, et l'ourse
De son char tournoit la course
Entre les mains du bouvier,
Quand le somme vint lier
D'une chaine sommeillere
Mes yeux clos sous la paupiere.
Jà, je dormois en mon lit,
Lorsque j'entr'ouy le bruit
D'un qui frapoit à ma porte,
Et heurtoit de telle sorte
Que mon dormir s'en-alla.
Je demanday: « Qu'est-ce là
Qui fait à mon huy [1] sa plainte?
— Je suis enfant, n'aye crainte, »
Ce me dit-il. Et adonc
Je luy desserre le gond
De ma porte verrouillée.
« J'ay la chemise mouillée,
Qui me trempe jusqu'aux oz,
Ce disoit, car sur le doz
Toute nuict j'ay eu la pluie;
Et pour ce je te supplie
De me conduire à ton feu
Pour m'aller seicher un peu. »
Lors je prins sa main humide,
Et par pitié je le guide
En ma chambre, et le fis seoir
Au feu qui restoit du soir;
Puis, allumant des chandelles,
Je vy qu'il portoit des ailes,
Dans la main un arc turquois, [2]
Et sous l'aisselle un carquois.

Adonc en mon cœur je pense
Qu'il avoit grande puissance,
Et qu'il falloit m'apprester
Pour le faire banqueter.
Ce-pendant il me regarde
D'un œil, de l'autre il prend garde
Si son arc estoit seché;
Puis me voyant empesché [1]
A luy faire bonne chere,
Me tire une fleche amere
Droict en l'œil, et qui de là
Plus bas au cœur devala,
Et m'y fit telle ouverture
Qu'herbe, drogue ny murmure,[2]
N'y serviroient plus de rien.

Voila, Robertet, le bien
(Mon Robertet, qui embrasses
Les neuf Muses et les Graces),
Le bien qui m'est advenu
Pour loger un incognu.

A CASSANDRE

Quand je suis vingt ou trente mois
Sans retourner en Vendomois,
Plein de pensées vagabondes,
Plein d'un remors et d'un souci,
Aux rochers je me plains ainsi,
Aux bois, aux antres, et aux ondes:
Rochers, bien que soyez âgez
De trois mil ans, vous ne changez
Jamais ny d'estat ny de forme;

Mais tousjours ma jeunesse fuit,
Et la vieillesse qui me suit
De jeune en vieillard me transforme.

Bois, bien que perdiez tous les ans
En hyver vos cheveux mouvans,
L'an d'après qui se renouvelle
Renouvelle aussi vostre chef; [1]
Mais le mien ne peut de rechef
Ravoir sa perruque [2] nouvelle.

Antres, je me suis veu chez vous
Avoir jadis verds les genous,
Le corps habile et la main bonne;
Mais ores j'ay le corps plus dur,
Et les genous, que n'est le mur
Qui froidement vous environne.

Ondes, sans fin vous promenez,
Et vous menez et remenez
Vos flots d'un cours qui ne sejourne;
Et moy, sans faire long sejour,
Je m'en vais de nuict et de jour
Au lieu d'où plus on ne retourne.

Si est-ce que je ne voudrois
Avoir esté ni roc ni bois,
Antre ni onde, pour defendre
Mon corps contre l'âge emplumé:
Car, ainsi dur, je n'eusse aimé
Toy, qui m'as fait vieillir, Cassandre.

L'AMOUR ET L'ABEILLE [1]

Le petit enfant Amour
Cueilloit des fleurs à l'entour
D'une ruche, où les avettes [2]
Font leurs petites logettes.
Comme il les alloit cueillant,
Une avette sommeillant
Dans le fond d'une fleurette,
Luy piqua la main tendrette.
Si tost que piqué se vit,
Ah! je suis perdu, ce dit;
Et s'en-courant vers sa mere,
Luy monstra sa playe amere:
Ma mere, voyez ma main,
Ce disoit Amour tout plein
De pleurs, voyez quelle enflure
M'a fait une esgratignure!
Alors Venus se sourit,
Et en le baisant le prit,
Puis sa main luy a souflée
Pour guarir sa plaie enflée.
Qui t'a, dy-moy, faux garçon,
Blessé de telle façon?
Sont-ce mes Graces riantes,
De leurs aiguilles poignantes?
Nenny, c'est un serpenteau,
Qui vole au printemps nouveau
Avecques deux ailerettes
Çà et là sur les fleurettes.
Ah! vrayment je le cognois,
Dit Venus; les villageois

De la montagne d'Hymette
Le surnomment une avette.
  Si donques un animal
Si petit fait tant de mal,
Quand son halesne [1] espoinçonne
La main de quelque personne,
  Combien fais-tu de douleurs
Au prix de luy, dans les cœurs
De ceux contre qui tu jettes
Tes homicides sagettes? [2]

ODE XVIII OF BOOK IV

  Dieu vous gard, messagers fidelles
Du printemps, gentes arondelles,[3]
Huppes, cocus,[4] rossignolets,
Tourtres,[5] et vous oiseaux sauvages,
Qui de cent sortes de ramages
Animez les bois verdelets.
  Dieu vous gard, belles paquerettes,
Belles roses, belles fleurettes
De Mars, et vous boutons cognus
Du sang d'Ajax [6] et de Narcisse; [7]
Et vous thym, anis et melisse,
Vous soyez les bien revenus.
  Dieu vous gard, troupe diaprée
De papillons, qui par la prée
Les douces herbes suçotez;
Et vous, nouvel essain d'abeilles,
Qui les fleurs jaunes et vermeilles
Indifferemment baisotez.

Cent mille fois je resalue
Vostre belle et douce venue;
O que j'aime ceste saison
Et ce doux caquet des rivages,
Au prix des [1] vents et des orages
Qui m'enfermoient en la maison!
[Sus, page, à cheval! que l'on bride!
Ayant ce beau printemps pour guide,
Je veux ma dame aller trouver
Pour voir, en ces beaux mois, si elle
Autant vers moi sera cruelle
Comme elle fut durant l'hyver.]

ODE XIX OF BOOK IV

Bel aubespin verdissant,
Fleurissant
Le long de ce beau rivage,
Tu es vestu jusqu'au bas
Des longs bras
D'une lambrunche [2] sauvage.

Deux camps drillants [3] de fourmis
Se sont mis
En garnison sous ta souche;
Et dans ton tronc mi-mangé
Arrangé
Les avettes ont leur couche.

Le gentil rossignolet,
Nouvelet,
Avecques sa bien-aimée,

Pour ses amours alleger
    Vient loger
Tous les ans en ta ramée.

Sur ta cyme il fait son ny,[1]
    Bien garny
De laine et de fine soye,
Où ses petits esclorront
    Qui seront
De mes mains la douce proye.

Or vy, gentil aubespin,
    Vy sans fin,
Vy sans que jamais tonnerre,
Ou la coignée, ou les vents,
    Ou les temps,
Te puissent ruer par terre.

ODE XV OF BOOK V

Nous ne tenons en nostre main
Le temps futur du lendemain;
La vie n'a point d'asseurance,
Et, pendant que nous desirons
La faveur des roys, nous mourons
Au milieu de nostre esperance.
  L'homme, après son dernier trespas,
Plus ne boit ne mange là bas,
Et sa grange, qu'il a laissée
Pleine de blé devant [2] sa fin,
Et sa cave pleine de vin,
Ne luy viennent plus en pensée.

Hé! quel gain apporte l'esmoy?
Va, Corydon, appreste-moy
Un lict de roses espanchées.
Il me plaist, pour me défascher,
A la renverse me coucher
Entre les pots et les jonchées.

Fay-moy venir Daurat [1] icy;
Fais-y venir Jodelle [2] aussi,
Et toute la musine troupe.[3]
Depuis le soir jusqu'au matin
Je veux leur donner un festin
Et cent fois leur pendre [4] la coupe.

Verse donc et reverse encor
Dedans cette grand' coupe d'or:
Je vay boire à Henry Estienne,[5]
Qui des enfers nous a rendu
Du vieil Anacreon perdu
La douce lyre teïenne.[6]

A toy, gentil Anacreon,
Doit son plaisir le biberon,
Et Bacchus te doit ses bouteilles;
Amour son compagnon te doit
Venus, et Silène, qui boit
L'esté dessous l'ombre des treilles.

ODELETTE XXIV OF BOOK V

Cependant que ce beau mois dure,
Mignonne, allon sur la verdure,
Ne laisson perdre en vain le temps;
L'âge glissant qui ne s'arreste,

Meslant le poil de nostre teste,
S'enfuit ainsi que le printemps.
Donq, cependant que nostre vie
Et le temps d'aimer nous convie,
Aimon, moissonnon nos desirs,
Passon l'amour de veine en veine;
Incontinent la mort prochaine
Viendra derober nos plaisirs.

A SA MUSE

Plus dur que fer j'ay fini mon ouvrage,[1]
Que l'an dispos à demener les pas,
Que l'eau, le vent ou le brulant orage,
L'injuriant, ne ru'ront point à bas.
Quand ce viendra que le dernier trespas
M'assouspira d'un somme dur, à l'heure [2]
Sous le tombeau dont Ronsard n'ira pas,
Restant de luy la part qui est meilleure.
Tousjours, tousjours, sans que jamais je meure,
Je voleray tout vif par l'univers,
Eternisant les champs où je demeure,
De mes lauriers fatalement [3] couvers,
Pour avoir joint les deux harpeurs [4] divers
Au doux babil de ma lyre d'yvoire,
Que j'ay rendus Vendomois par mes vers.
Sus donque, Muse, emporte au ciel la gloire
Que j'ai gaignée, annonçant la victoire
Dont à bon droit je me voy jouissant,
Et de ton fils consacre la memoire,
Serrant son front d'un laurier verdissant.

AU ROSSIGNOL

Gentil rossignol passager,
Qui t'es encor venu loger
Dedans cette coudre [1] ramée,
Sur ta branchette accoustumée,
Et qui nuit et jour de ta vois
Assourdis les mons et les bois,
Redoublant la vieille querelle
De Terée [2] et de Philomele,
  Je te supplie (ainsi tousjours
Puisses jouir de tes amours)
De dire à ma douce inhumaine,
Au soir quand elle se promeine
Ici pour ton nid espier,
Qu'il n'est pas bon de se fier
En la beauté ny en la grace,
Qui plustost qu'un songe se passe.
  Dy-luy que les plus belles fleurs
En janvier perdent leurs couleurs,
Et quand le mois d'avril arrive
Qu'ils [3] revestent leur beauté vive;
Mais quand des filles le beau teint
Par l'âge est une fois esteint,
Dy-luy que plus il ne retourne,
Mais bien qu'en sa place sejourne
Au haut du front je ne sçay quoy
De creux à coucher tout le doy; [4]
Et toute la face seichée
Devient comme une fleur touchée
Du soc aigu. Dy-luy encor
Qu'après qu'elle aura changé l'or

De ses blonds cheveux, et que l'âge
Luy aura crespé [1] le visage,
Qu'en vain lors elle pleurera,
De quoy jeunette elle n'aura
Prins les plaisirs qu'on ne peut prendre
Quand la vieillesse nous vient rendre
Si froids d'amours et si perclus,
Que les plaisirs ne plaisent plus.
  Mais, rossignol, que ne vient-elle
Maintenant sur l'herbe nouvelle
Avecques moy dans ce buisson?
Au bruit de ta douce chanson,
Je luy ferois sous la coudrette
Sa couleur blanche vermeillette.

ÉGLOGUES [2]

ORLÉANTIN [3]

Puis que le lieu, le temps, la saison et l'envie,
Qui s'eschaufent d'amour, à chanter nous convie,
Chanton donques, bergers, et en mille façons
A ces vertes forests apprenon nos chansons.

Icy de cent couleurs s'esmaille la prairie,
Icy la tendre vigne aux ormeaux se marie,
Icy l'ombrage frais va les fueilles mouvant
Errantes çà et là sous l'haleine du vent:
Icy de pré en pré les soigneuses avettes
Vont baisant et succant les odeurs des fleurettes:
Icy le gazouillis enroué des ruisseaux
S'accorde doucement aux plaintes des oiseaux:
Icy entre les pins les Zephyres s'entendent.

Nos flutes cependant trop paresseuses pendent
A nos cols endormis, et semble que ce temps
Soit à nous un hyver, aux autres un printemps.

Sus donques en cet antre ou dessous cet ombrage
Disons une chanson: quant à ma part je gage,
Pour le prix de celuy qui chantera le mieux,
Un cerf apprivoisé qui me suit en tous lieux.

Je le desrobay jeune au fond d'une vallée
A sa mere, au dos peint d'une peau martelée,[1]
Et le nourry si bien, que souvent le grattant,
Le chatouillant, touchant, le peignant et flatant,
Tantost auprès d'une eau, tantost sur la verdure,
En douce je tournay sa sauvage nature.

Je l'ay tousjours gardé pour ma belle Thoinon,
Laquelle en ma faveur l'appelle de mon nom:
Tantost elle le baise, et de fleurs odoreuses
Environne son front et ses cornes rameuses,
Et tantost son beau col elle vient enfermer
D'un carquan [2] enrichy de coquilles de mer,
D'où pend la croche dent d'un sanglier, qui ressemble
En rondeur le croissant qui se rejoint ensemble.
Il va seul et pensif où son pied le conduit;
Maintenant des forests les ombrages il suit,
Maintenant il se mire au bord d'une fontaine,
Ou s'endort sous le creux d'une roche hautaine.
Puis il retourne au soir, et gaillard prend du pain
Tantost dessus la table et tantost en ma main,
Saute à l'entour de moy, et de sa corne essaye
De cosser [3] brusquement mon mastin qui l'abaye.[4]

Fait bruire son cleron,[1] puis il se va coucher
Au giron de Thoinon qui l'estime si cher.
Il souffre que sa main le chevestre luy mette
Faict à houpes de soie, et si bien ell' le traite
Que sur son dos privé [2] le bast elle luy met.
Elle monte dessus et sans crainte le fait
Marcher entre les fleurs, le tenant à la corne
D'une main, et de l'autre en cent façons elle orne
Sa croupe de bouquets et de petits rameaux;
Puis le conduit au soir à la fraischeur des eaux,
Et de sa blanche main seule luy donne à boire.
Or quiconques aura l'honneur de la victoire,
Sera maistre du cerf, bien-heureux et contant
De donner à s'amie un present qui vaut tant.

ANGELOT [3]

Je gage mon grand bouc, qui par mont et par plaine
Conduit seul un troupeau comme un grand capitaine;
Il est fort et hardy, corpulent et puissant,
Brusque, prompt, éveillé, sautant et bondissant,
Qui gratte, en se jouant, de l'ergot de derriere
(Regardant les passans) sa barbe mentonniere.

Il a le front severe et le pas mesuré,
La contenance fiere et l'œil bien asseuré:
Il ne doute [4] les loups, tant soient-ils redoutables,
Ny les mastins armez de colliers effroyables,
Mais planté sur le haut d'un rocher espineux,
Les regarde passer et si se mocque d'eux.

Son front est remparé de quatre grandes cornes;
Les deux proches des yeux sont droites comme bornes

Qu'un pere de famille esleve sur le bord
De son champ qui estoit nagueres en discord;
Les deux autres qui sont prochaines des aureilles,
En douze ou quinze plis se couvrent à merveilles
Comme ondes de la mer, et en tournant s'en vont
Cacher dessous le poil qui luy pend sur le front.

Dès la poincte du jour ce grand bouc qui sommeille
N'attend que le pasteur son troupelet reveille,
Mais il fait un grand bruit dedans l'estable, et puis
En poussant le crouillet,[1] de sa corne ouvre l'huis,
Et guide les chevreaux qu'à grands pas il devance
Comme de la longueur d'une moyenne lance,
Puis les rameine au soir à pas contez et lons,
Faisant sous ses ergots poudroyer les sablons.

Jamais en nul combat n'a perdu la bataille,
Ruzé dès sa jeunesse, en quelque part qu'il aille,
D'emporter la victoire: aussi les autres boucs
Ont crainte de sa corne, et le reverent tous.
Je le gage pourtant: voy comme il se regarde,
Il vaut mieux que le cerf que ta Thoinon te garde.

NAVARRIN [2]

J'ay dans ma gibbeciere un vaisseau fait au tour,
De racine de buis, dont les anses d'autour
D'artifice excellent de mesme bois sont faites,
Où maintes choses sont diversement portraites.

Presque tout au milieu du gobelet est peint
Un satyre cornu, qui de ses bras estreint
Tout au travers du corps une jeune bergere,
Et la veut faire choir dessous une fougere.

Son couvrechef luy tombe, elle a de toutes pars
A l'abandon du vent ses beaux cheveux espars:
La nymphe courroucée, ardante en son courage,
Tourne loin du satyre arriere le visage,
Essayant d'eschapper, et de la dextre main
Luy arrache le poil du menton et du sein,
Et luy froisse le nez de l'autre main senestre,[1]
Mais en vain; car toujours le satyre est le maistre.

Trois petits enfans nuds de jambes et de bras,
Taillez au naturel, tous potelez et gras
Sont gravez à l'entour: l'un par vive entreprise
Veut faire abandonner au satyre sa prise,
Et d'une infante [2] main par deux et par trois fois
Prend celle du bouquin [3] et lui ouvre les doits.

L'autre, plus courroucé, d'une dent bien aigue
Mort [4] ce dieu ravisseur par la cuisse pelue,
Se tient contre sa greve, et le pince si fort
Que le sang espandu sous les ongles en sort,
Faisant signe du doigt à l'autre enfant qu'il vienne,
Et que par l'autre jambe ainsi que luy le tienne;
Mais cet autre garçon pour neant supplié,
A dos courbé se tire une espine du pié,
Assis sur un gazon de verte pimpernelle,
Sans se donner soucy de celuy qui l'appelle.

Une genisse auprès luy pend sur le talon,
Qui regarde tirer le poignant aiguillon
De l'espine cachée au fond de la chair vive,
Et toute est tellement à ce fait ententive,
Que beante elle oublie à boire et à manger:
Tant elle prend plaisir à ce petit berger,

Qui, tirant à la fin la pointe de l'espine,
De douleur se renverse et tombe sur l'eschine.

Un houbelon [1] rampant à bras longs et retors
De ce creux gobelet passemente les bors,
Et court en se pliant à l'entour de l'ouvrage:
Tel qu'il est toutefois je le mets pour mon gage.

GUISIN [2]

Je mets une houlette en lieu de ton vaisseau.
L'autre jour que j'estois assis près d'un ruisseau,
Radoubant [3] ma musette avecques mon alesne,[4]
Je vy dessur le bord le tige d'un beau fresne
Droit, sans nœuds, et sans plis: lors me levant soudain
J'empoignay d'allegresse un goy [5] dedans la main,
Puis coupant par le pied le bois armé d'escorce,
Je le fis chanceler et trebucher à force
Dessur le pré voisin estendu de son long:
En quatre gros quartiers j'en fis sier le tronc,
Au soleil je seichay sa verdeur consumée,
Puis j'endurcy le bois pendu à la fumée.

A la fin le baillant [6] à Jean, ce bon ouvrier
M'en fist une houlette, et si n'y a chevrier
Ny berger en ce bois, qui ne donnast pour elle
La valeur d'un taureau, tant elle semble belle:
Elle a par artifice un million de nouds,[7]
Pour mieux tenir la main, tous marquetez de clous;
Et afin que son pied ne se gaste à la terre,
Un cercle faict d'airain de tous costez le serre:
Une poincte de fer le bout du pied soustient,
Rempart de la houlette, où le pasteur se tient

Dessur la jambe gauche, et du haut il appuye
Sa main, quand de jouer sur sa flute il s'ennuye:
L'anse est faite de cuivre, et le haut de fer blanc
Un peu long et courbé, où pourroient bien de rang
Deux mottes pour jetter au troupeau qui s'égare,
Tant le fer est creusé d'un artifice rare.

Une nymphe y est peinte, ouvrage nompareil,
Qui ses cheveux essuye aux rayons du soleil,
Qui deçà qui delà dessur le col luy pendent,
Et dessur la houlette à petits flots descendent.
Elle fait d'une main semblant de ramasser
Ceux du costé senestre et de les retrousser
En frisons sur l'aureille, et de l'autre elle allonge
Ceux du dextre costé mignotez [1] d'une esponge
Et tirez fil à fil, faisant entre ses doits
Sortir en pressurant l'escume sur le bois.

Aux pieds de ceste nymphe est un garçon qui semble
Cueillir des brins de jonc, et les lier ensemble
De long et de travers, courbé sur le genou:
Il les presse du pouce et les serre d'un noud,
Puis il fait entre deux des fenestres egales,
Façonnant une cage à mettre des cigales.
Loin derriere son dos est gisante à l'escart
Sa panetiere [2] enflée, en laquelle un regnard
Met le nez finement, et d'une ruze estrange
Trouve le dejeuner du garçon et le mange,
Dont l'enfant s'apperçoit sans estre courroucé;
Tant il est ententif à l'œuvre commencé.

Si mettray-je, pourtant, une telle houlette,
Que j'estime en valeur autant qu'une musette.

MARGOT [1]

Je mettray, pour celuy qui gaignera le prix,
Un merle qu'à la glus en nos forests je pris:
Puis vous diray comment je l'enfermay en cage,
Et luy fis oublier son naturel ramage.
Un jour en l'escoutant siffler dedans ce bois
J'eu plaisir de son vol et plaisir de sa vois,
Et de sa robbe noire, et de son bec qui semble
Estre peint de safran, tant jaune il lui ressemble:
Et pource j'espiay l'endroit où il buvoit,
Quand au plus chaud du jour ses plumes il lavoit.

Or en semant le bord de vergettes gluées,
L'une assez près de l'autre, en ordre situées,
Je me cachay sous l'herbe au pied d'un arbrisseau,
Attendant que la soif ameneroit l'oiseau.
Aussi tost que le chaud eut la terre enflamée,
Et que les bois fueilluz, herissez de ramée,
N'empeschoient que l'ardeur des rayons les plus chaux
Ne vinssent alterer le cœur des animaux,
Ce merle ouvrant la gorge, et laissant l'aile pendre,
Matté d'ardante soif, en volant vint descendre
Dessus le bord glué, et comme il allongeoit
Le col pour s'abreuver (pauvret qui ne songeoit
Qu'à prendre son plaisir!) se voit outre coustume
Engluer tout le col et puis toute la plume,
Si bien qu'il ne faisoit, en lieu de s'envoler,
Si non à petits bonds sur le bord sauteler.
Incontinent je cours, et prompte luy desrobbe
Sa douce liberté, le cachant sous ma robbe;
Puis, pliant et nouant de vergettes de buis
Et d'osier une cage, en prison je le mis.

Et fust que le soleil se plongeast dedans l'onde,
Fust qu'il monstrast au jour sa belle tresse blonde,
Fust au plus chaud midy, alors que nos troupeaux
Estoient en remaschant couchez sous les ormeaux,
Si bien je le veillay parlant à son aureille,
Qu'en moins de quinze jours je luy appris merveille;
Et luy fis oublier sa rustique chanson,
Pour retenir par cœur mainte belle leçon,
Toute pleine d'amour: j'ay souvenance d'une,
Bien que l'invention en soit assez commune,
Je la diray pourtant: car par là se verra
Si l'oiseau sera cher à celuy qui l'aura.

« Xandrin, mon doux soucy, mon œillet, et ma rose,
Qui peux de mes troupeaux et de moy disposer,
Le soleil tous les soirs dedans l'eau se repose!
Mais Margot pour t'amour ne sauroit reposer.»

Il en sçait mille encore et mille de plus belles
Qu'il escoute en ces bois chanter aux pastourelles:
Car il apprend par cœur tout cela qu'il entend,
Et bien qu'il me soit cher, je le gage pourtant.

A SON AME [1]

Amelette Ronsardelette,
Mignonnelette, doucelette,
Treschere hostesse de mon corps,
Tu descens là bas foiblelette,
Pasle, maigrelette, seulette,
Dans le froid Royaume des mors:

Toutesfois simple, sans remors
De meurtre, poison, ou rancune,
Meprisant faveurs et tresors
Tant enviez par la commune.
  Passant, j'ay dit, suy ta fortune,
Ne trouble mon repos, je dors.

POUR SON TOMBEAU

Ronsard repose icy, qui hardy des l'enfance
Detourna d'Helicon les Muses en la France,
Suivant le son du Luth et les traits d'Apollon:
Mais peu valut sa Muse encontre l'eguillon
De la mort, qui cruelle en ce tombeau l'enserre.
Son ame soit à Dieu, son corps soit à la terre.

JOACHIM DU BELLAY

FROM THE *OLIVE*

LX

Divin Ronsard, qui de l'arc à sept cordes
Tiras premier au but de la memoire
Les traictz äelez [1] de la Françoise gloire,
Que sur ton luc haultement tu accordes.

Fameux harpeur et prince de noz odes,
Laisse ton Loir haultain de ta victoire,
Et vien sonner au rivage de Loire
De tes chansons les plus nouvelles modes.[2]

Enfonce l'arc du vieil Thebain [3] archer,
Où nul que toy ne sceut onq' encocher
Des doctes Sœurs les sajettes [4] divines.

Porte pour moy parmy le ciel des Gaulles
Le sainct honneur des nymphes Angevines, [5]
Trop pesant faix [6] pour mes foibles epaules.

CXIII

Si nostre vie [7] est moins qu'une journée
En l'eternel, si l'an qui faict le tour
Chasse noz jours sans espoir de retour,
Si perissable est toute chose née,

Que songes-tu, mon ame emprisonnée?
Pourquoy te plaist l'obscur de nostre jour,
Si pour voler en un plus cler sejour,
Tu as au dos l'aele bien empanée? [1]

La, est le bien que tout esprit desire,
La, le repos ou tout le monde aspire,
La, est l'amour, la, le plaisir encore.

La, ô mon ame au plus hault ciel guidée!
Tu y pouras recongnoistre l'Idée
De la beauté, qu'en ce monde j'adore.

FROM THE *ANTIQUITÉS* [2]

VII

Sacrez costaux,[3] et vous sainctes ruines,
Qui le seul nom de Rome retenez,
Vieux monuments, qui encore soustenez
L'honneur poudreux de tant d'ames divines:

Arcz triomphaux, pointes du ciel voisines,
Qui de vous voir le ciel mesme estonnez,
Las, peu à peu cendre vous devenez,
Fable du peuple et publiques rapines!

Et bien qu'au temps pour un temps facent guerre
Les bastimens, si est-ce que le temps
Œuvres et noms finablement atterre.[4]

Tristes desirs, vivez donques contents:
Car si le temps finist chose qui dure,
Il finira la peine que j'endure.

XIV

Comme on passe en æsté le torrent sans danger,
Qui souloit en hyver estre roy de la plaine,
Et ravir par les champs d'une fuite hautaine
L'espoir du laboureur et l'espoir du berger:

Comme on void les coüards animaux oultrager
Le courageux lyon gisant dessus l'arene,[1]
Ensanglanter leurs dents, et d'une audace vaine
Provoquer l'ennemy qui ne se peult venger:

Et comme devant Troye on vid des Grecz encor
Braver les moins vaillans autour du corps d'Hector:
Ainsi ceulx qui jadis souloient, à teste basse,

Du triomphe Romain la gloire accompagner,
Sur ces poudreux tumbeaux exercent leur audace,
Et osent les vaincuz les vainqueurs desdaigner.

XXVIII

Qui a veu [2] quelquefois un grand chesne asseiché,
Qui pour son ornement quelque trophee porte,
Lever encor' au ciel sa vieille teste morte,
Dont le pied fermement n'est en terre fiché,

Mais qui dessus le champ plus qu'à demy panché
Monstre ses bras tous nuds et sa racine torte,[3]
Et sans fueille umbrageux, de son poix [4] se supporte
Sur son tronc noüailleux en cent lieux esbranché:

Et bien qu'au premier vent il doive sa ruine,
Et maint jeune à l'entour ait ferme la racine,
Du devot populaire estre seul reveré:

Qui tel chesne a peu voir, qu'il imagine encores
Comme entre les citez, qui plus florissent ores,
Ce vieil honneur poudreux est le plus honnoré.

FROM THE *REGRETS* [1]

IV

Je ne veulx fueilleter les exemplaires Grecs,[2]
Je ne veulx retracer les beaux traicts d'un Horace,
Et moins veulx-je imiter d'un Petrarque la grace,
Ou la voix d'un Ronsard, pour chanter mes Regrets.

Ceulx qui sont de Phœbus vrais poëtes sacrez
Animeront leurs vers d'une plus grand' audace:
Moy, qui suis agité d'une fureur plus basse,
Je n'entre si avant en si profonds secretz.

Je me contenteray de simplement escrire
Ce que la passion seulement me fait dire,
Sans rechercher ailleurs plus graves argumens.

Aussi n'ay-je entrepris d'imiter en ce livre
Ceulx qui par leurs escripts se vantent de revivre
Et se tirer tous vifz dehors des monumens.

VIII

Ne t'esbahis (Ronsard) la moitié de mon ame,[3]
Si de ton Dubellay France ne lit plus rien,
Et si aveques l'air du ciel Italien
Il n'a humé l'ardeur qui l'Italie enflamme.

Le sainct rayon qui part des beaux yeux de ta dame
Et la saincte faveur de ton Prince et du mien,
Cela (Ronsard) cela, cela merite bien
De t'échauffer le cœur d'une si vive flamme.

Mais moy, qui suis absent des raiz [1] de mon Soleil,
Comment puis-je sentir échauffement pareil
A celuy qui est pres de sa flamme divine?

Les costaux soleillez de pampre sont couvers,
Mais des Hyperborez les eternels hivers
Ne portent que le froid, la neige et la bruine.

IX

France, mere des arts, des armes et des loix,
Tu m'as nourry long temps du laict de ta mamelle:
Ores, comme un aigneau qui sa nourisse appelle,
Je remplis de ton nom les antres et les bois.

Si tu m'as pour enfant advoué quelquefois
Que ne me respons-tu maintenant, ô cruelle?
France, France, respons à ma triste querelle.[2]
Mais nul, sinon Echo, ne respond à ma voix.

Entre les loups cruels j'erre parmy la plaine,
Je sens venir l'hyver, de qui la froide haleine
D'une tremblante horreur fait herisser ma peau.

Las, tes autres aigneaux n'ont faute de pasture,
Ils ne craignent le loup, le vent ny la froidure:
Si ne suis-je pourtant le pire du troppeau.

XVI

Ce pendant que [1] Magny suit son grand Avanson,
Panjas son Cardinal, et moy le mien encore,
Et que l'espoir flateur, qui noz beaux ans devore,
Appaste noz desirs d'un friand hamesson,

Tu courtises les Roys, et d'un plus heureux son
Chantant l'heur [2] de Henry,[3] qui son siecle decore,
Tu t'honores toymesme, et celuy qui honore
L'honneur que tu luy fais par ta docte chanson.

Las, et nous ce pendant nous consumons nostre aage
Sur le bord incogneu d'un estrange rivage,
Ou le malheur nous fait ces tristes vers chanter:

Comme on void quelquefois, quand la mort les appelle,
Arrangez flanc à flanc parmy l'herbe nouvelle,
Bien loing sur un estang trois cygnes lamenter.[4]

XXV

Malheureux [5] l'an, le mois, le jour, l'heure et le poinct,
Et malheureuse soit la flateuse esperance,
Quand pour venir icy j'abandonnay la France:
La France, et mon Anjou, dont le desir me poingt.

Vrayment d'un bon oiseau guidé je ne fus point,
Et mon cœur me donnoit assez signifiance
Que le ciel estoit plein de mauvaise influence,
Et que Mars estoit lors à Saturne conjoint.

Cent fois le bon advis lors m'en voulut distraire,
Mais tousjours le destin me tiroit au contraire:
Et si mon desir n'eust aveuglé ma raison,

N'estoit-ce pas assez pour rompre mon voyage,
Quand sur le sueil de l'huis,[1] d'un sinistre presage,
Je me blessay le pied sortant de la maison?

XXXI

Heureux qui, comme Ulysse, a fait un beau voyage,
Ou comme cestuy là [2] qui conquist la toison,
Et puis est retourné, plein d'usage [3] et raison,
Vivre entre ses parents le reste de son aage!

Quand revoiray-je, helas, de mon petit village
Fumer la cheminée, et en quelle saison
Revoiray-je le clos de ma pauvre maison,
Qui m'est une province, et beaucoup d'avantage?

Plus me plaist le sejour qu'ont basty mes ayeux,
Que des palais Romains le front audacieux:
Plus que le marbre dur me plaist l'ardoise fine,

Plus mon Loyre Gaulois que le Tybre Latin,
Plus mon petit Lyré [4] que le mont Palatin,
Et plus que l'air marin la doulceur Angevine.[5]

LXVIII

Je hay du Florentin l'usuriere avarice,
Je hay du fol Sienois le sens mal arresté,
Je hay du Genevois la rare verité,
Et du Venitien la trop caute [6] malice:

Je hay le Ferrarois pour je ne sçay quel vice,
Je hay tous les Lombards pour l'infidelité,
Le fier Napolitain pour sa grand' vanité,
Et le poltron Romain pour son peu d'exercice:

Je hay l'Anglois mutin et le brave Escossois,
Le traistre Bourguignon et l'indiscret François,
Le superbe Espaignol et l'yvrongne Thudesque: [1]

Bref, je hay quelque vice en chasque nation,
Je hay moymesme encor' mon imperfection,
Mais je hay par sur tout un sçavoir pedantesque.

LXXX

Si je monte au Palais,[2] je n'y trouve qu'orgueil,
Que vice deguisé, qu'une cerimonie,
Qu'un bruit de tabourins,[3] qu'une estrange harmonie,
Et de rouges habits un superbe appareil:

Si je descens en banque, un amas et recueil
De nouvelles je treuve, une usure infinie,
De riches Florentins une troppe [4] banie,
Et de pauvres Sienois un lamentable dueil:

Si je vais plus avant, quelque part ou j'arrive,
Je treuve de Venus la grand' bande lascive
Dressant de tous costez mil appas amoureux:

Si je passe plus oultre, et de la Rome neufve
Entre en la vieille Rome, adonques je ne treuve
Que de vieux monuments un grand monceau pierreux.

LXXXI

Il fait bon voir (Paschal) [5] un conclave serré,
Et l'une chambre à l'autre egalement voisine
D'antichambre servir, de salle et de cuisine,
En un petit recoing de dix pieds en carré:

Il fait bon voir autour le palais emmuré,
Et briguer là dedans ceste troppe divine,
L'un par ambition, l'autre par bonne mine,
Et par despit de l'un estre l'autre adoré:

Il fait bon voir dehors toute la ville en armes,
Crier: le Pape est fait, donner de faulx alarmes,
Saccager un palais: mais plus que tout cela

Fait bon voir, qui de l'un, qui de l'autre se vante,
Qui met pour cestui-cy, qui met pour cestui-là,
Et pour moins d'un escu dix Cardinaux en vente.[1]

LXXXV

Flatter un crediteur pour son terme allonger,
Courtiser un banquier, donner bonne esperance,
Ne suivre en son parler la liberté de France,
Et pour respondre un mot, un quart d'heure y songer:

Ne gaster sa santé par trop boire et manger,
Ne faire sans propos une folle despense,
Ne dire à tous venans tout cela que lon pense,
Et d'un maigre discours gouverner [2] l'estranger:

Cognoistre les humeurs, cognoistre qui demande,
Et d'autant que lon a la liberté plus grande,
D'autant plus se garder que lon ne soit repris:

Vivre aveques chascun, de chascun faire compte:
Voila, mon cher Morel [3] (dont je rougis de honte)
Tout le bien qu'en trois ans à Rome j'ay appris.

LXXXVI

Marcher d'un grave pas et d'un grave sourci,[1]
Et d'un grave soubriz [2] à chascun faire feste,
Balancer tous ses mots, respondre de la teste,
Avec un *Messer non*,[3] ou bien un *Messer si:*

Entremesler souvent un petit *E cosi*,[4]
Et d'un *son Servitor'* [5] contrefaire l'honneste,
Et, comme si lon eust sa part en la conqueste,
Discourir sur Florence, et sur Naples aussi:

Seigneuriser [6] chascun d'un baisement de main,
Et suivant la façon du courtisan Romain,
Cacher sa pauvreté d'une brave apparence:

Voila de ceste Court la plus grande vertu,
Dont souvent mal monté, mal sain, et mal vestu,
Sans barbe et sans argent on s'en retourne en France.[7]

CL

Seigneur, je ne sçaurois regarder d'un bon œil
Ces vieux Singes de Court, qui ne sçavent rien faire,
Sinon en leur marcher les Princes contrefaire,
Et se vestir, comme eulx, d'un pompeux appareil.

Si leur maistre se mocque, ilz feront le pareil,
S'il ment, ce ne sont eulx qui diront du contraire,
Plustost auront-ilz veu, à fin de luy complaire,
La Lune en plein midy, à minuict le Soleil.

Si quelqu'un devant eulx reçoit un bon visage,
Ilz le vont caresser, bien qu'ils crevent de rage:
S'il le reçoit mauvais, ilz le monstrent au doy.

Mais ce qui plus contre eulx quelquefois me despite,
C'est quand devant le Roy, d'un visage hypocrite,
Ilz se prennent à rire, et ne sçavent pourquoy.

D'UN VANNEUR DE BLÉ AUX VENTS

A vous, troupe legère,
Qui d'aile passagère
Par le monde volez,
Et d'un sifflant murmure
L'ombrageuse verdure
Doucement ebranlez,

J'offre ces violettes,
Ces lis et ces fleurettes,
Et ces roses ici,
Ces vermeillettes roses,
Tout fraichement ecloses,
Et ces œillets aussi.

De votre douce haleine
Eventez cette plaine,
Eventez ce sejour,
Cependant que j'ahanne [1]
A mon blé que je vanne
A la chaleur du jour.[2]

DIALOGUE D'UN AMOUREUX ET D'ÉCHO[1]

Piteuse Echo, qui erres en ces bois,
Repons au son de ma dolente voix.
D'ou ay-je peu ce grand mal concevoir,
Qui m'oste ainsi de raison le devoir? De voir.
Qui est l'autheur de ces maulx avenuz? Venus.
Comment en sont tous mes sens devenuz? Nuds.
Qu'estois-je avant qu'entrer en ce passaige? Saige.
Et maintenant que sens-je en mon couraige? Raige.
Qu'est-ce qu'aimer, et s'en plaindre souvent? Vent.
Que suis je donq', lors que mon cœur en fend? Enfant.
Qui est la fin de prison si obscure? Cure.
Dy moy, quelle est celle pour qui j'endure? Dure.
Sent-elle bien la douleur qui me poingt? Point.
O que cela me vient bien mal à point!
Me fault il donq' (ô debile entreprise)
Lascher ma proie avant que l'avoir prise?
Si vault-il mieulx avoir cœur moins haultain,
Qu'ainsi languir soubs espoir incertain.

JEAN-ANTOINE DE BAÏF

AMOUR DÉROBANT LE MIEL [1]

Le larron Amour
Deroboit un jour
Le miel aux ruchettes,
Des blondes avettes,
Qui leurs piquans drois [2]
En ses tendres doigs
Aigrement ficherent.
Ses doigs s'en enflerent;
A ses mains l'enfant
Grande douleur sent,
Dépit [3] s'en courrouce:
La terre repouce,
Et d'un leger saut
Il s'élance en haut
Et vole à sa mere,
L'orine [4] Cytere
Avec triste pleur
Monstrer sa douleur
Et faire sa plainte:
« Voy (dit-il) l'ateinte
Qu'une mouche fait;
Voy combien meffait
Une bestelette
Qui si mingrelette [5]
Fait un mal si grand. »
— « De mesme il t'en prend

(Venus luy vint dire
Se prenant à rire);
Bien qu'enfantelet
Tu sois mingrelet,
Tu ne vaux pas mieux:
Voy quelle blessure
Tu fais qu'on endure
En terre et aux cieux.»

CHANSONNETTE, EN VERS MESURÉS

Babillarde, qui toujours viens
Le sommeil et songe troubler
Qui me fait heureux et content,
Babillarde aronde,[1] tais-toi.
Babillarde aronde, veux-tu
Que de mes gluaux affutés [2]
Je te fasse choir de ton nid?
Babillarde aronde, tais-toi.
Babillarde aronde, veux-tu
Que coupant ton aile et ton bec
Je te fasse pis que Terée? [3]
Babillarde aronde, tais-toi.
Si ne veux te taire, crois-moi,
Je me vengerai de tes cris,
Punissant ou toi ou les tiens.
Babillarde aronde, tais-toi.

REMY BELLEAU

AVRIL [1]

Avril, l'honneur et des bois
Et des mois,
Avril, la douce esperance
Des fruits qui sous le coton
Du bouton
Nourissent leur jeune enfance;

Avril, l'honneur des prez verds,
Jaunes, pers,[2]
Qui d'une humeur bigarrée
Emaillent de mille fleurs
De couleurs
Leur parure diaprée;

Avril, l'honneur des soupirs
Des zephyrs,
Qui, sous le vent de leur ælle,[3]
Dressant encor és [4] forests
Des doux rets
Pour ravir Flore la belle;

Avril, c'est ta douce main
Qui du sein
De la nature desserre
Une moisson de senteurs
Et de fleurs,
Embasmant [5] l'air et la terre.

Avril, l'honneur verdissant,
Florissant
Sur les tresses blondelettes
De ma dame, et de son sein
Tousjours plein
De mille et mille fleurettes;

Avril, la grace et le ris
De Cypris,[1]
Le flair et la douce haleine;
Avril, le parfum des dieux
Qui des cieux
Sentent l'odeur de la plaine.

C'est toy courtois et gentil
Qui d'exil
Retire ces passagères,
Ces arondelles qui vont
Et qui sont
Du printemps les messagères.

L'aubespine et l'aiglantin,
Et le thym,
L'œillet, le lis et les roses,
En ceste belle saison,
A foison,
Monstrent leurs robes écloses.

Le gentil rossignolet,
Doucelet
Decoupe dessous l'ombrage
Mille fredons babillars,
Fretillars
Au doux chant de son ramage.

C'est à ton heureux retour
Que l'amour
Souffle à doucettes haleines
Un feu croupi [1] et couvert
Que l'hyver
Receloit dedans nos veines.

Tu vois en ce temps nouveau
L'essaim beau
De ces pillardes avettes
Volleter de fleur en fleur
Pour l'odeur
Qu'ils mussent [2] en leurs cuissettes.

May vantera ses fraischeurs,
Ses fruicts meurs
Et sa féconde rosée,
La manne et le sucre doux,
Le miel roux,
Dont sa grace est arrosée.

Mais moy je donne ma voix
A ce mois,
Qui prend le surnom de celle [3]
Qui de l'escumeuse mer
Veit germer
Sa naissance maternelle.

OLIVIER DE MAGNY

Bien heureux [1] est celuy qui, loing de la cité,
Vit librement aux champs dans son propre heritage,
Et qui conduyt en paix le train de son mesnage,
Sans rechercher plus loing autre felicité.
Il ne sçait que veult dire avoir necessité,
Et n'a pas d'autre soing que de son labourage,
Et si sa maison n'est pleine de grand ouvrage,
Aussi n'est il grevé de grand' adversité.
Ores il ante un arbre, et ores il marye
Les vignes aux ormeaux, et ores en la prairie
Il desbonde un ruisseau pour l'herbe en arouzer;
Puis au soir il retourne, et souppe à la chandelle
Avecques ses enfans et sa femme fidelle,
Puis se chauffe ou devise et s'en va reposer.

L'hyver [2] s'en va, Girard,[3] et Zephyre rameine,
Le chef [4] couvert de fleurs le plaisant renouveau,
Desja plus libre aux champs gazouille le ruysseau,
Et desja par les bois j'oy Progne et Philomene.[5]
Le pré se reverdit, le ciel se rassereine,
Le soleil luyt sur nous d'un plus tiede flambeau,
Les herbes et les fleurs, la terre, l'air et l'eau,
Et toute beste aux champs d'amour est toute pleine.
Mais pour moi, las, helas! ne revient que douleur,
Que tristesse et tourment, qu'angoisse et que malheur,
Et pis encor, Girard, si pis il se peut dire:
Et ces champs, ces oiseaux, ces fleurs et ces Zephyrs,
A qui sur ce printens toute chose on voit rire,
Renouvellent en moy mes antiques souspirs.

Magny. Hola, Charon,[1] Charon Nautonnier infernal.
Charon. Qui est cest importun qui si pressé m'appelle?
M. C'est l'esprit éploré d'un amoureux fidelle,
Lequel pour bien aimer n'eust jamais que du mal.
C. Que cherches tu de moy? *M.* Le passaige fatal.
C. Qui est ton homicide? M. O demande cruelle!
Amour m'a fait mourir. *C.* Jamais dans ma nasselle
Nul subget à l'amour je ne conduis à val.
M. Et de grace, Charon, reçois-moy dans ta barque.
C. Cherche un autre nocher, car ny moy ny la Parque
N'entreprenons jamais sur ce maistre des dieux.
M. J'iray donc maugré toy, car j'ay dedans mon ame
Tant de traicts amoureux et de larmes aux yeux,
Que je feray le fleuve, et la barque, et la rame.

JEAN PASSERAT

ODE DU PREMIER JOUR DE MAY[1]

Laisson le lit et le sommeil
Ceste journee:
Pour nous l'Aurore au front vermeil
Est desja née.
Or que le ciel est le plus gay
En ce gracieux mois de May
Aimon, mignonne;
Contenton nostre ardent desir,
En ce monde n'a du plaisir
Qui ne s'en donne.
Vien, belle, vien te pourmener
Dans ce bocage,
Entens les oiseaux jargonner
De leur ramage.
Mais escoute comme sur tous
Le Rossignol est le plus dous,
Sans qu'il se lasse.
Oublion tout dueil, tout ennuy
Pour nous resjoyr comme luy:
Le temps se passe.
Ce vieillard contraire aus amans
Des aisles porte,
Et en fuyant nos meilleurs ans
Bien loing emporte.
Quand ridée un jour tu seras,
Melancholique, tu diras:

J'estoy peu sage,
Qui n'usoy point de la beauté
Que si tost le temps a osté
De mon visage.
Laisson ce regret et ce pleur
A la vieillesse;
Jeunes il faut cueillir la fleur
De la jeunesse.
Or que le ciel est le plus gay
En ce gracieus mois de May,
Aimon, mignonne;
Contenton nostre ardent desir:
En ce monde n'a de plaisir
Qui ne s'en donne.

SUR LA MORT D'UNE LINOTE

Le cœur me disoit bien que Fortune cruelle
Nous devoit envoyer quelque triste nouvelle.
Helas en voicy une! On dit qu'à ce matin
Nostre Linote est morte: ô injuste destin,
Sans raison et sans yeux! la mort si tost n'espie
Le Corbeau mal-plaisant, l'injurieuse Pie;
Le Hibou solitaire, augure de malheur,
Ny les Aigles tyrans, ny le Milan voleur
Des poussins innocens suivans leur Gelinote,
Que l'esprit amoureux d'une douce Linote,
Telle que fut la nostre, en qui les cieux amis
Pour l'oreille flatter leur musique avoyent mis.
Un entendement d'homme estoit en ceste beste
A remarquer les gens, à leur faire la feste

Sautelant et sifflant, et lors qu'on la traitoit
S'approchoit de la main, et les doigts bequetoit :
C'estoient ses grands-mercis: puis en l'air remontee
Disoit quelque chanson non encore chantee.
La petite mignarde à peine avoit loisir
De boire et de manger pour nous donner plaisir.
Mesme au plus grand hyver que par le vent de bize
Estoit toute son eau et sa mangeaille prise,
S'eschaufoit à chanter. Je l'ay veu mille fois
De son seigneur aimé recongnoissant la vois,
Et tirant en sursault son bec de dessous l'aele,
Ainsi comme de jour respondre à la chandelle.
Toutesfois elle est morte: et n'ont eu le pouvoir
Tant de perfections de Pluton esmouvoir.
Il est vray que de vivre elle avoit peu d'envie:
Car depuis quelque temps elle trainoit sa vie,
Oyant les tabourins,[1] et tant d'horribles sons,
Qui lui rompoient la teste, et troubloient ses chansons.
Puis du mal de son maistre elle fut advertie,
Dont sa part endura par une sympathie;
En perdit l'appetit, en perdit la santé,
En devint toute ectique,[2] et n'a depuis chanté.
Or son ame à la fin s'accabla de tristesse
Quand à ceste nouvelle elle veit sa maistresse
Laisser son fils malade, et moy blessé en l'œil:
Nostre pauvre Linote en est morte de dueil.
Mais avant que mourir regardant par sa cage
Nous dist piteusement Adieu en son langage.
  Adieu donques Linote, adieu gentil oiseau:
Je m'en vais en pleurant te dresser un tombeau
Sous ces jeunes lauriers, car tu merites d'estre
Et vive, et morte, aupres de ce qu'aime ton maistre.

VILLANELLE

J'ai perdu ma Tourterelle:
Est-ce point celle que j'oy?
Je veus aller apres elle.

Tu regretes ta femelle,
Helas! aussi fai-je moy,
J'ai perdu ma Tourterelle.

Si ton Amour est fidelle,
Aussi est ferme ma foy,
Je veus aller aprés elle.

Ta plainte se renouvelle;
Tousjours plaindre je me doy:
J'ay perdu ma Tourterelle.

En ne voyant plus la belle
Plus rien de beau je ne voy:
Je veus aller aprés elle.

Mort, que tant de fois j'appelle,
Pren ce qui se donne à toy:
J'ay perdu ma Tourterelle,
Je veus aller aprés elle.

ÉPITAPHE

Jean Passerat icy sommeille,
Attendant que l'Ange l'esveille:
Et croit qu'il se resveillera
Quand la trompette sonnera.
S'il faut que maintenant en la fosse je tombe,
Qui ay tousjours aymé la paix et le repos,
Afin que rien ne poise [1] à ma cendre et mes os,
Amis, de mauvais vers ne chargés point ma tombe.

MESDAMES DES ROCHES

Quenouille, mon soucy, je vous promets et jure
De vous aimer toujours, et jamais ne changer
Vostre honneur domestic pour un bien estranger
Qui erre inconstamment et fort peu de temps dure.
Vous ayant au costé, je suis beaucoup plus sure
Que si encre et papier se venoient arranger
Tout à l'entour de moy: car, pour me revenger,
Vous pouvez bien plustost repousser une injure.
Mais, quenouille, ma mie, il ne faut pas pourtant
Que, pour vous estimer, et pour vous aimer tant,
Je delaisse de tout ceste honneste coustume
D'escrire quelquefois: en escrivant ainsy,
J'escris de vos valeurs, quenouille, mon soucy,
Ayant dedans la main le fuseau et la plume.

AGRIPPA D'AUBIGNÉ

Combattu des vents et des flots,
Voyant tous les jours ma mort preste
Et abayé [1] d'une tempeste
D'ennemis, d'aguetz, de complotz,

Me resveillant à tous propos,
Mes pistolles dessoubz ma teste,
L'amour me fait faire le poete,
Et les vers cerchent le repos.

Pardonne moy, chere Maistresse,
Si mes vers sentent la destresse,
Le soldat, la peine et l'esmoy:

Car depuis qu'en aimant je souffre,
Il faut qu'ils sentent comme moy
La poudre, la mesche et le souffre.

AUX CRITIQUES

Lecteurs, pour m'excuser qu'est ce
Que je pourrois dire? — Rien.
Si j'allegue ma jeunesse,[2]
Tu diras: je le vois bien!

FROM *LES TRAGIQUES*

Pleust à Dieu, Jesabel,[1] que comm' au temps passé
Tes Ducs [2] predecesseurs ont tous-jours abaissé
Les grands en eslevant les petits à l'encontre,
Puis encor rabatus [3] par un' autre rencontre
Ceux qu'ils avoyent haussez, si tost que leur grandeur
Pouvoit donner soupçon ou meffiance au cœur;
Ainsi comm' eux tu sçais te rendre redoutable,
Faisant le grand coquin, haussant le miserable;
Ainsi comm' eux tu sçais par tes subtilitez,
En maintenant les deux, perdre les deux costez,
Pour abbreuver de sang la soif de ta puissance;
Pleust à Dieu, Jesabel, que tu euss' à Florence
Laissé tes trahisons, en laissant ton païs.
Que tu n'eusses les grands des deux costez trahis
Pour regner au milieu, et que ton entreprise
N'eust ruiné le noble et le peuple et l'Eglise!
Cinq cens mille soldats n'eussent crevé, poudreux,
Sur le champ maternel, et ne fust avec eux
La noblesse faillie et la force faillie
De France, que tu as faict gibier d'Italie.
Ton fils eust eschappé ta secrette poison,[4]
Si ton sang t'eust esté plus que ta trahison.
En fin pour assouvir ton esprit et ta veuë,
Tu vois le feu qui brusle et le cousteau qui tuë.
Tu as veu à ton gré deux camps de deux costez,
Tous deux pour toy, tous deux à ton gré tourmentez,
Tous deux François, tous deux ennemis de la France,
Tous deux executeurs de ton impatience,
Tous deux la pasle horreur du peuple ruiné,
Et un peuple par toi contre soi mutiné;

Par eux tu vois des-ja la terre yvre, inhumaine,
Du sang noble François et de l'estranger [1] pleine,
Accablez par le fer que tu as esmoulu.
Mais c'est beaucoup plus tard que tu n'eusses voulu:
Tu n'as ta soif de sang qu'à demi arrosée,
Ainsi que d'un peu d'eau la flamme est embrasée.

(Book I. 747–782.)

GUILLAUME DE SALUSTE DU BARTAS

O trois et quatre fois bienheureux [1] qui s'esloigne
Des troubles citadins, qui prudent ne se soigne
Des emprises [2] des rois, ains servant à Ceres
Remue de ses bœufs les paternels guerets!
La venimeuse dent de la blafarde envie,
Ni l'avare souci, ne tenaille sa vie.
Des bornes de son champ son desir est borné.
Il ne boit dans l'argent le philtre forcené,
Au lieu de vin Gregeois [3] et parmi l'ambroisie
Ne prend dans un plat d'or l'arsenic oste-vie.
Sa main est son gobeau,[4] l'argenté ruisselet
Son plus doux hypocras; le fromage, le laict,
Et les pommes encor de sa main propre entees,
A toute heure lui sont sans apprest apprestees.
Les trompeurs chiquaneurs (Harpyes des parquets
Et sangsues du peuple) avecques leurs caquets
Bavardement fascheux la teste ne lui rompent,
Ains les peints oyselets ses plus durs ennuis trompent,
Enseignans chasque jour aux doux flairans buissons
Les plus divins couplets de leurs douces chansons.
Son vaisseau vagabond sur l'irrité Neree [5]
N'est or le jouet d'Eure et tantost de Boree,
Et dans un Ocean esloigné de tout bord,
Miserable ne va cercher [6] l'horrible mort,
Ains passant en repos tous les jours de son aage,
De veue ne perd point tant soit peu son village.

Ne conoist autre mer, ne sçait autre torrent
Que le flot crystallin du ruisseau murmurant
Qui ses vers prez arrouse, et ceste mesme terre,
Qui naissant le receut, pitoyable l'enterre.
Pour rappeler le somme il n'avalle le jus
Ni du morne pavot, ni du froid jonc de Chus,[1]
Et n'achette les tons, comme jadis Mecene,[2]
Lors qu'en son corps mal sain son ame encor moins saine
N'avoit ni paix ni trefve, et que sans nul repos
La jalouse fureur le rongeoit jusqu'aux os:
Ains sur le verd tapis de la plus tendre mousse
Qui frange un bord ondeux, hors de ses flancs il pousse
Un sommeil enchanté par le gazouillis doux
Des flots entrecassez [3] des bords et des cailloux.
Le clairon, le tambour, la guerriere trompette,
L'esveillant d'un sursaut, n'arment d'armet sa teste,
Et d'un chef respecté le sainct commandement
Ne le pousse aveuglé du lict au monument.
Le coq empennaché [4] la diane lui sonne,
Limite son repas, et par son cri lui donne
Un chatouilleux desir d'aller mirer les fleurs
Que la flairante Aurore emperle de ses pleurs.
Un air emprisonné dans les rues puantes
Ne lui trouble le sang par ses chaleurs relantes,
Ains le ciel descouvert, dessous lequel il vit,
A toute heure le tient en nouvel appetit,
Le tient sain à toute heure, et la mort redoutee
N'approche que bien tard de sa loge escartee.
Il ne passe es grands cours ses miserables ans,
Son vouloir ne depend du vouloir des plus grands,
Et changeant de Seigneur ne change d'Evangile.
Sur un papier menteur son mercenaire style

Ne fait d'une fourmi un Indois elephant,
D'un mol Sardanapale un Hercul triomphant,
D'un Thersite un Adon,[1] et ne prodigue encore
D'un discours impudent le los d'Alceste à Flore;[2]
Ains vivant tout à soi, et servant Dieu sans peur,
Il chante sans respect ce qu'il a sur le cœur.
Le soupçon blemissant nuict et jour ne le ronge,
A ses aguets trompeurs nuict et jour il ne songe,
Ou, s'il songe à tromper, c'est à tendre filets
Aux animaux des champs, gluaux aux oiselets,
Et manches[3] aux poissons. Que si ses garde-robes
Ne sont toujours comblez de magnifiques robes
De velours à fond d'or, et si les foibles aiz
De son coffre peu seur ne ployent sous le faix
Des avares lingots, il se vest de sa laine.
De vins non achetez sa cave est toute pleine,
Ses greniers de froment, ses rocs de saines eaux,
Et ses granges de foin, et ses parcs de troupeaux,
Car mon vers chante l'heur[4] du bien aisé rustique,
Dont l'honneste maison semble une republique,
Non l'estat diseteux du rompu bucheron,
De l'affamé pescheur, du povre vigneron,
Qui caimandent[5] leur vie, et qui n'ont qu'à boutees[6]
Du pain en leurs maisons sur quatre pieux plantees.
Puissé-je, ô Tout puissant, inconnu des grands rois,
Mes solitaires ans achever par les bois.
Mon estang soit ma mer, mon bosquet mon Ardene,
La Gimone mon Nil, le Sarrapin[7] ma Seine,
Mes chantres et mes luths les mignards oiselets,
Mon cher Bartas mon Louvre, et ma cour mes valets,
Ou sans nul destourbier[8] si bien ton los j'entonne,
Que la race future à bon droit s'en estonne.

Ou bien, si mon devoir et la bonté des rois
Me fait de leur grandeur aprocher quelque fois,
Fay que de leur faveur jamais je ne m'enyvre,
Que commandé par eux libre je puisse vivre,
Que l'honneur vrai se suyve et non l'honneur menteur,
Aimé comme homme rond,[1] et non comme flatteur.

PHILIPPE DESPORTES

Icare [1] cheut icy, le jeune audacieux
Qui pour voler au ciel eut assez de courage:
Icy tomba son corps degarny de plumage,
Laissant tous braves cœurs de sa cheute envieux.
O bien heureux travail d'un esprit glorieux,
Qui tire un si grand gain d'un si petit dommage!
O bien heureux malheur plein de tant d'avantage
Qu'il rende le vaincu des ans victorieux!
Un chemin si nouveau n'estonna sa jeunesse,
Le pouvoir lui faillist, mais non la hardiesse:
Il eut, pour le brûler, des astres le plus beau.
Il mourut, poursuivant une haute advanture;
Le ciel fut son desir, la mer sa sepulture:
Est-il plus beau dessein ou plus riche tombeau?

Sommeil,[2] paisible fils de la nuict solitaire,
Pere alme, nourricier de tous les animaux,
Enchanteur gracieux, doux oubly de nos maux,
Et des esprits blessez l'appareil salutaire;
Dieu favorable à tous, pourquoy m'es-tu contraire?
Pourquoy suis-je tout seul rechargé de travaux,
Or que l'humide nuict guide ses noirs chevaux,
Et que chacun jouyst de ta grâce ordinaire?
Ton silence, où est-il? ton repos et ta paix,
Et ces songes vollans comme un nuage espais,
Qui des ondes d'oubli vont lavant nos pensées?
O frere de la Mort, que tu m'es ennemy!
Je t'invoque au secours, mais tu es endormy,
Et j'ards, [3] tousjours veillant en tes horreurs glacées.

VILLANELLE

Rozette,[1] pour un peu d'absence,
Vostre cœur vous avez changé,
Et moy, sçachant cette inconstance,
Le mien autre part j'ay rangé:
Jamais plus beauté si legere
Sur moy tant de pouvoir n'aura:
Nous verrons, volage bergere,
Qui premier s'en repentira.

Tandis qu'en pleurs je me consume,
Maudissant cet esloignement,
Vous qui n'aimez que par coustume,
Caressiez un nouvel amant.
Jamais legere girouëtte
Au vent si tost ne se vira:
Nous verrons, bergere Rozette,
Qui premier s'en repentira.

Où sont tant de promesses saintes,
Tant de pleurs versez en partant?
Est-il vray que ces tristes plaintes
Sortissent d'un cœur inconstant?
Dieux! que vous estes mensongere!
Maudit soit qui plus vous croira!
Nous verrons, volage bergere,
Qui premier s'en repentira.

Celuy qui a gaigné ma place
Ne vous peut aymer tant que moy,
Et celle que j'aime vous passe
De beauté, d'amour et de foy.

Gardez bien vostre amitié neufve,
Là mienne plus ne varira,
Et puis nous verrons à l'espreuve
Qui premier s'en repentira.

PRIÈRE AU SOMMEIL

Somme, doux repos de nos yeux,
Aimé des hommes et des dieux,
Fils de la Nuict et du Silence,
Qui peux les esprits delier,
Qui fais les soucis oublier,
Endormant toute violence.

Approche, ô Sommeil desiré!
Las! c'est trop longtans demeuré,
La nuict est à demi passée,
Et je suis encor attendant
Que tu chasses le soin mordant,
Hoste importun de ma pensée.

Clos mes yeux, fay-moy sommeiller,
Je t'atten sur mon oreiller,
Où je tiens la teste appuyée:
Je suis dans mon lict sans mouvoir,
Pour mieux ta douceur recevoir,
Douceur dont la peine est noyée.

Haste-toy, Sommeil, de venir:
Mais qui te peut retenir?
Rien en ce lieu ne te retarde,
Le chien n'abbaye icy autour,
Le coq n'annonce point le jour,
On n'entend point l'oye criarde.

Un petit ruisseau doux coulant
A dos rompu se va roulant,
Qui t'invite de son murmure;
Et l'obscurité de la nuit,
Moête,[1] sans chaleur et sans bruit,
Propre au repos de la nature.

Chacun, fors que [2] moy seulement,
Sent ore quelque allegement
Par le doux effort de tes charmes:
Tous les animaux travaillés
Ont les yeux fermés et sillés,
Seuls les miens sont ouverts aux larmes.

Si tu peux, selon ton desir,
Combler un homme de plaisir
Au fort d'une extrême tristesse,
Pour monstrer quel est ton pouvoir,
Fay-moy quelque plaisir avoir
Durant la douleur qui m'oppresse.

Si tu peux nous representer
Un bien qui nous peut contenter,
Separé de longue distance,
O somme doux et gracieux!
Represente encor à mes yeux
Celle dont je pleure l'absance.

Que je voye encore ces soleils,
Ces lys et ces boutons vermeils,
Ce port plain de majesté sainte;
Que j'entr'oye encor ces propos,
Qui tenoient mon cœur en repos,
Ravi de merveille et de crainte.

Le bien de la voir tous les jours
Autrefois estoit le secours

De mes nuicts, alors trop heureuses:
Maintenant que j'en suis absant,
Ren-moy par un songe plaisant
Tant de délices amoureuses.

Si tous les songes ne sont rien,
C'est tout un, ils me plaisent bien:
J'aime une telle tromperie.
Haste-toy donc, pour mon confort;
On te dit frere de la Mort,
Tu seras pere de ma vie.

Mais, las! je te vay appelant,
Tandis la nuict en s'envolant
Fait place à l'aurore vermeille:
O Amour! tyran de mon cœur,
C'est toi seul qui par ta rigueur
Empesches que je ne sommeille.

Hé! quelle estrange cruauté!
Je t'ay donné ma liberté,
Mon cœur, ma vie et ma lumière,
Et tu ne veux pas seulement
Me donner pour allegement
Une pauvre nuict toute entiere?

Je verray [1] par les ans, vengeurs de mon martire,
Que l'or de vos cheveux argenté deviendra,
Que de vos deux soleils la splendeur s'esteindra,
Et qu'il faudra qu'Amour tout confus s'en retire.

La beauté qui, si douce, à présent vous inspire,
Cedant aux lois du tans, ses faveurs reprendra;
L'hyver de vostre teint les fleurettes perdra,
Et ne laissera rien des thresors que j'admire.

Cet orgueil desdaigneux qui vous fait ne m'aimer,
En regret et chagrin se verra transformer,
Avec le changement d'une image si belle.
Et peut estre qu'alors vous n'aurez déplaisir
De revivre en mes vers, chauds d'amoureux desir,
Ainsi que le phénix au feu se renouvelle.

NOTES

CLÉMENT MAROT

Clément Marot (c. 1496 or 7–1544) was the leading poet of the early Renaissance, which corresponds roughly to the reign of Francis I. He tended, particularly at first, to express himself rather in the forms dear to the late Middle Ages, such as the *ballade* and *rondeau*. But after 1524 his verses had a more personal touch and a stronger poetical feeling. They are often graceful and humorous, clear and sparkling, or again tender and sentimental. Marot seems to have lacked vigor of character and, though he inclined to the Reformation, he was too timid to be consistent. He was not a poet of supreme genius, but he was one of the best of the second category, and the embodiment of French *esprit*. The fullest studies of Marot in French are by G. Guiffrey (Vol. I of his uncompleted edition of Marot), and O. Douen, *Clément Marot et le Psautier Huguenot*. The most convenient modern edition of Marot is by Pierre Jannet; the sumptuous Guiffrey edition was never carried beyond the third volume.

Page 1. — 1. **Eglogue au roy.** This poem belongs to the latter years of Marot's life (about 1539):

— car l'yver qui s'appreste
A commencé à neiger sur ma teste.

It is autobiographical (Pan = Francis I, and Robin = Marot), and is one of the most natural and graceful of the sixteenth-century eclogues. Spenser imitates it in his more artificial December eclogue of the *Shepheards Calender*. It has likenesses with Marot's own *Complaincte d'un pastoureau chrestien*. It shows a true appreciation of nature at first hand, and, though a parallel of Marot and Wordsworth would be grotesque, yet

Marot shows that the scenes of his childhood were as dear to his memory as to Wordsworth the landscapes near Hawkshead or Grasmere. The nature-descriptions are comparatively free from the conventional touches such as are to be found in the earlier *rhétoriqueurs* or in the bookish classical reminiscences of the Pléiade.

2. **fousteaux,** *beech trees.*

3. **de grand courage,** *with all his heart.*

4. **sus** goes with *remects;* not a preposition governing *tous*, etc.

5. **arondelle** = *hirondelle.*

6. **ramages,** *wild*, adjective.

Page 2. — 1. **souloys,** from obsolete *souloir*, 'to be accustomed' (Latin *solere*). Even in the sixteenth century it had only the infinitive and the imperfect.

2. **bricz,** *traps;* connected with *bricole.* Cf. Marot's *Enfer:* "Pour prendre au bric l'oyseau nyce et foyblet" and *Du jour de Noël:* "Car le serpens a esté prins au bric." With this passage cf. Wordsworth's *Prelude:*

> Ere I had told
> Ten birth-days, when among the mountain slopes
> Frost, and the breath of frosty wind, had snapped
> The last autumnal crocus, 'twas my joy
> With store of springes o'er my shoulder hung
> To range the open heights where woodcocks run
> Along the smooth green turf.

3. **transnouoys,** *I swam across* (obsolete).

4. **fondes** = *frondes.*

5. **O quantesfoys,** etc. *Quantes foys* = 'How many times.' Cf. *The Prelude:*

> Oh! when I have hung
> Above the raven's nest, by knots of grass
> And half-inch fissures in the slippery rock
> But ill-sustained, *etc.*

Spenser's imitation of this passage is:

> How often have I scaled the craggie Oke,
> All to dislodge the Raven of her nest?
> How have I wearied with many a stroke
> The stately Walnut-tree the while the rest
> Under the tree fell all for nuts at strife?
> For ylike to me was libertie and lyfe.

6. **compaings** = *compagnons*. Cf. modern familiar *copain*, 'chum.'

7. **Si,** *yet*.

8. **Janot.** Clément Marot's father, Jean Marot, himself a poet.

9. **Jaquet.** Jacques Colin, abbé of Saint-Ambroise, a friend of Marot's father.

10. **bessons,** *twin*. A word which has remained in modern French chiefly as dialectal, except where revived for literary purposes, as in George Sand's *la Petite Fadette*.

11. **Voyre,** *truly*.

Page 3. — 1. **après moy travailloit** = 'taught me,' 'worked over me.'

2. **los,** *praise*.

3. **pertuysa,** *pierced*. From obsolete *pertuiser*, etymologically connected with *pertuis*, 'hole' and *pertuisane*, a sharply cutting halberd (Eng. 'partizan').

4. **Il daigna,** etc. Francis I was a patron of letters and wrote poems himself.

Page 4. — 1. **ramentoy,** from obsolete *ramentevoir*, 'to recall' (*re-à-mente-habere*).

2. **Encourtinez,** cf. Eng. 'curtain.'

3. **Là d'un costé,** etc. Imitated from Virgil's first eclogue (ll. 54–57):

> Hinc tibi, quae semper, vicino ab limite sepes
> Hyblaeis apibus florem depasta salicti
> Saepe levi somnum suadebit inire susurro.

4. **Mousches à miel,** *bees;* also called in the sixteenth century *avettes*.

5. **Mesmes,** *especially*.

6. **columbelle,** *dove*.

7. **chaloit,** from obsolete *chaloir*, 'to care'; cf. *nonchalant*.

8. **fault,** from *faillir*.

9. **Adoncques** = *alors*.

Page 5. — 1. **tyssir,** *to weave*, obsolete.

2. **Heleine la blonde,** supposed to be Hélène de Tournon, a maid of honor of Marguerite de Navarre.

3. **Margot** = Marguerite de Navarre, sister of Francis I.

4. **Loysette** = Louise de Savoie, mother of Francis I, who died in 1531. In her honor Marot composed a *complainte*, imitated by Spenser in the November eclogue of his *Shepheards Calender.*

5. **challemye** = *chalumeau.*

Page 6. — 1. **Merlin.** Melin de Saint-Gelais, Marot's leading contemporary.

2. **Thony.** Antoine Héroët, a Platonist poet of the first half of the sixteenth century.

3. **baillé,** from *bailler*, obsolete, except in rustic speech, for *donner.*

4. **approcher,** an allusion to the imprisonment of Francis I in Spain, as the captive of Charles V.

Page 7. — 1. **sept artz,** the *trivium* and the *quadrivium.*

2. **Tytire,** the shepherd of Virgil's first eclogue.

3. **courage** = *cœur.*

4. **Ains** = *mais.*

Page 8. — 1. **Je ne quiers pas,** etc. Among the many passages in poetry which after Horace express, like these lines of Marot, contentment with a modest fortune, see the verses written by Abraham Cowley at the age of thirteen:

> This only grant me, that my means may lie
> Too low for envy, for contempt too high;
> Some honor I would have,
> Not from great deeds, but good alone;
> Th' unknown are better than ill-known.
> Rumor can ope the grave:
> Acquaintance I would have, but when 't depends
> Not on the number, but the choice of friends.
>
> Books should, not business, entertain the light,
> And sleep, as undisturbed as death, the night,
> My house a cottage, more
> Than palace, and should fitting be
> For all my use, no luxury.
> My garden painted o'er
> With nature's hand, not art's; and pleasures yield
> Horace might envy in his Sabine field.

2. **herbis,** *pastures.*

3. **loucerves** = *loups-cerviers.*

Page 9. — 1. **Que diray plus?** etc. Marot has in mind a passage from Virgil's first eclogue, ll. 60 ff.

2. **A son amy Lyon.** In 1526 Marot was arrested on charges made by a 'docteur en théologie' named Bouchart for having "mangé du lard en carême." Marot had perhaps been denounced by some feminine jealousy to this doctor of the Sorbonne. He was imprisoned in the king's prison, the Châtelet, which imprisonment he describes in his *Enfer*. He protested unavailingly in his epistle to Dr. Bouchart, but this epistle to his friend Lyon (Léon) Jamet was more successful. Jamet succeeded in having Marot transferred to the prison of the bishop of Chartres, where he was more comfortable and whence he was, not long after, released. In the present clever little fable in verse Marot plays on the name of his friend Lyon. La Fontaine has told the same fable of the lion and the rat, but less vividly than Marot.

3. **amour,** note the gender.

4. **Tu voys assez,** etc. The allusion in the first two lines is probably to the mysterious affair with a woman which was at the bottom of Marot's imprisonment.

5. **Tu voys qui peult,** etc. Marot here is alluding to the defeat of Francis I at Pavia and his imprisonment.

6. **acquerre** = *acquérir*.

7. **prou** = *beaucoup*.

Page 10. — 1. **Cestuy,** obsolete form of the demonstrative adjective.

2. **Le bon du compte,** i.e., how the matter turned out.

3. **ne s'est gaudy,** *did not make fun of*. *Se gaudir*, from *gaudere*, obsolete for *s'égayer*.

4. **Dont** = *parce que*.

Page 11. — 1. **vestit,** i.e., closed his lids. Another reading is *vertit* = 'turned aside.'

2. **je me soubzris,** obsolete use of *sourire* as a reflexive.

3. **à la parfin** = *enfin*.

4. **plaisir,** *kindness*.

Page 12. — 1. **De frère Lubin.** This is a rare instance of a *ballade à double refrain*. Not only is the last line of the first strophe repeated at the end of the other two and at the end of the *envoi*, but the fourth line of the first strophe is repeated in the same way. The term "frère lubin" passed into use to designate a *foolish* or *debauched* monk, and so one finds it employed in the former sense in the preface of Rabelais's *Gargantua.* This poem has been translated by Andrew Lang, among others:

> In good to fail, in ill succeed,
> Le Frère Lubin's the man you need!
> In honest works to lead the van,
> Le Frère Lubin is *not* the man!

Longfellow's version will be found in, for instance, his *Poets and Poetry of Europe.*

2. **pile.** *N'avoir ni croix ni pile* = 'to have no money.' *Croix et pile* = *pile et face* = 'heads and tails' of the fling of a coin.

Page 13. — 1. **De l'amour du siecle antique.** This is an example of the *rondeau*, of which Marot was the great master in the sixteenth century. After the middle of the sixteenth century the vogue of the *rondeau* diminished, though Voiture cultivated it in the seventeenth, and it has often been used as a form of *vers de société*, never more than by contemporary minor poets in England and in America.

2. **Si qu'un,** *so that a.*

3. **C'estoit donné,** *it was as if one had given it.*

4. **par cas,** *by chance.*

5. **on s'entretenoit,** *they kept faith.*

6. **oyt** from *ouïr.*

7. **qu'on la meine.** *Amour* was in the sixteenth century consistently feminine.

8. **Enfer.** The court of the Châtelet, which Marot describes as an "Inferno," in his own poem *l'Enfer*, relating the experiences of his own trial.

9. **Samblançay.** Jacques de Beaune, baron de Samblançay, *surintendant des finances*, was convicted on false charges brought against him by Louise of Savoy, the king's mother, and executed at Montfaucon. His innocence was afterwards admitted.

10. **cuydoit,** *croyait.*

MELIN DE SAINT-GELAIS

Melin or Mellin de Saint-Gelais (1490?–1558) was the chief contemporary of Marot and a jealous rival of the rising fame of Ronsard. He expresses therefore different poetical tendencies from the Pléiade, though he was chiefly responsible for the introduction into France of the sonnet which was to be so fashionable with that school. Saint-Gelais was a Petrarchist and a poet often witty and graceful, though not infrequently superficial. The modern edition of Saint-Gelais is by P. Blanchemain, 3 vols. 1873. The standard study of his life and works is by H.-J. Molinier.

Page 14. — 1. **Voyant,** etc. This sonnet is like an Italian one by Sannazaro, *Simili a questi smisurati monti*, and like an English one by Wyatt "Like unto these unmeasurable mountains." It is usually believed that the order of influence is Sannazaro, Saint-Gelais, Wyatt; though it is also argued that Saint-Gelais translated from Wyatt (cf. J. M. Berdan, in *Modern Language Notes*, Feb. 1908).

CHARLES FONTAINE

Charles Fontaine was born at Paris in 1514. He first became known through his defence of Clément Marot against an envious rhymester, François Sagon (1537). After a sojourn of about one year in Italy (c. 1540) he settled in Lyons, where he published a score of volumes of verse and translations. Although usually regarded merely as a disciple of Marot, he was in several respects a precursor of the Pléiade. In addition to his literary work, he engaged in the printing and publishing trade, and was for a short time principal of the Collège de la Trinité of Lyons. He died probably about 1570. Cf. R. L. Hawkins, *Maistre Charles Fontaine, Parisien.* There is no modern edition of Fontaine.

Page 15. — 1. **François** = King Francis I.

Page 16. — 1. This poem is drawn from *les Ruisseaux de Fontaine*, Lyons, 1555, p. 55. Jean Fontaine here celebrated was born in 1545 (?). He was the author of the following work: *Hortulus puerorum pergratus ac perutilis, Latine discentibus. . . .* First edition, Lyons, 1561. Eleven editions in all from 1561 to 1626.

LOUISE LABÉ

Louise Labé (circa 1524–1566) was the chief poetess of the Lyons school and one of the leaders of a small group of literary people. Her poetry, small in quantity and uneven in execution, expresses strong passion and emotion. She has been made the picturesque heroine of various baseless legends. Her name is closely associated with that of Olivier de Magny, who loved her. The best edition of Louise Labé is by Charles Boy, 2 vols., 1887, accompanied by a biographical study.

Page 17. — 1. **l'heur** = *le bonheur.*
2. **fors que** = *excepté.*

PIERRE DE RONSARD

Pierre de Ronsard (1524 or 5–1585) was by far the greatest poet of the sixteenth century and the most ambitious in his desire to cultivate the different forms of poesy. He had an intense admiration for antiquity and was steeped in its literature and mythology, but was also deeply influenced by the Italians. Ronsard wrote more than everybody cares to read to-day and his fragmentary epic, the *Franciade*, as well as some of his heroic odes, may well be spared. But an anthology of his verse shows him to be a master of graceful melody, and a high-minded and patriotic Frenchman. The two complete modern editions in France of Ronsard are by Marty-Laveaux (text of 1584), which is expensive and rare, and by Blanchemain (text of 1560 and first successive editions). A new edition is in course of publication by Laumonier, under the auspices of the *Société des textes modernes*. Numerous critical and historical studies of different phases of Ronsard have been written during recent years. Among the most important are *Ronsard* by J.-J. Jusserand 1913; *Pierre de Ronsard, essai de biographie, les ancêtres, la jeunesse*, 1912, by H. Longnon; and three works by Paul Laumonier, *Ronsard, poète lyrique*, 1909; a critical edition of Binet's *Vie de Ronsard*, 1910; *Tableau chronologique des œuvres de Ronsard*, 1911.

The *Amours* of Ronsard consist of miscellaneous love-poems, chiefly sonnets, addressed to various ladies, real and fancied, of whom the poet writes in tones of rapture or of amorous distress. Some of these verses are in the conventional tones of Italianistic Petrarchism; some are in the natural tones of the true lover; some, finally, especially those to Helen, have a loftier spirit of calm and meditation, which distinguishes them from the general mass of sixteenth-century verse. Ronsard's three chief lady-loves were Cassandre, Marie and Hélène. Cassandre was in reality Cassandre Salviati, whom Ronsard first saw in 1545 when she was about fourteen. She was of Florentine descent and lived with her parents at the château de Talcy near Blois. In November, 1546, she became the wife of Jean Peigné, seigneur de Pré. She was an ancestress of Alfred de Musset and an aunt of Diane Salviati, who was loved by Agrippa d'Aubigné in his youth. Ronsard's Marie, a "fleur angevine de quinze ans," is generally supposed to have been a girl of more common origin, a peasant or the daughter of an innkeeper, named Marie du Pin or Dupin. H. Vaganay has argued that the name was Marie Guiet. Hélène was Hélène de Surgères, a maid of honor of Catherine de' Medici. This affair lasted from about 1568 to 1574 when Ronsard was approaching his fiftieth year. It was probably the queen herself who suggested to Ronsard that he immortalize the fair young girl in verse. It remained purely Platonic so far as Hélène was concerned, but undoubtedly Ronsard in time felt genuine passion. But the *Sonnets pour Hélène* have more dignity and serenity than do the emotional compositions of the poet's youth. Nevertheless, see J. Vianey, *le Pétrarquisme en France au XVIe siècle*, pp. 256–262, for Italian and possibly French influences on Ronsard's sonnets to Helen. Coming, as they do, fairly late in Ronsard's life and in the century, they are the result of different influences from his early lyrics.

Page 18. — 1. **l'archer,** i.e., Love.
2. **au décocher,** *when discharged.*
3. **sereine,** *siren.*
4. **muer,** *change.*

Page 19. — 1. **Loir.** Le Loir, to be distinguished from La Loire. A stream loved by Ronsard, flowing through his native Vendômois.

2. **fleuriront,** *will turn white;* as a tree bursts into white blossoms or flowers.

3. **En ton desastre,** etc.; i.e., 'my fate points to your misfortune.' It is my fate that you perish for me.

4. **m'amour** = *ma amour*, as formerly used for *mon amour.*

5. **neveux,** *descendants.*

6. **les cieux,** i.e., the empty air.

7. **qui m'affolle,** i.e., with love.

8. **dextre.** A flash of lightning on the right was a bad omen.

9. **yeux.** This poetical prophecy, composed when Ronsard was a young man, to a great extent came true. He grew gray young, died before he was really old, and his poems were soon neglected and ridiculed by posterity.

10. **Bellay.** This sonnet was in answer to one written by Du Bellay, beginning "Divin Ronsard," etc.; cf. page 56.

11. **nombreuses,** *melodious.*

12. **separée.** The poets of the Pléiade did not court popular applause.

13. **enfant de Cytherée,** Cupid, the child of Cytherea (Aphrodite), who according to some traditions rose from the foam of the sea near the island of Cythera.

14. **ardois,** from *ardre*, 'to burn.'

Page 20. — 1. **Oy,** imperative of *ouïr.*

2. **nef** = *navire.*

3. **Io,** Greek and Latin ejaculation of triumph or joy.

4. **prée,** old feminine noun equivalent to masculine *pré.*

Page 21. — 1. **des-vie.** *Des-vier* and *dévier* = 'to die.'

Page 22. — 1. **la Beausse,** la Beauce, a district of France between Paris and the Loire, flat but fertile, though Rabelais, in his *Gargantua* (chap. XVI), speaks of its inhabitants as having a reputation for poverty.

2. **arenes,** *sands.*

Page 23. — 1. **Embasmant** = *embaumant.*

2. **fueille à fueille déclose,** 'dropping petal by petal.'

3. **La Parque,** *Fate.*

4. Faguet in his *Seizième Siècle* speaks of "ce petit poème merveilleux, ce sonnet exquis, la plus fine et la plus achevée de toutes les œuvres de Ronsard."

5. **Montmartre,** a hill now enclosed within the limits of Paris, which in the sixteenth century could be seen across the open fields from the windows of the Louvre.

Page 24. — 1. **Cybelle,** *Cybele,* goddess of the earth.

2. **Flageollant,** *playing* (as on the flageolet).

3. **aveine,** *a shepherd's pipe, reed pipe* (*avena*).

4. **Quand vous serez bien vieille,** etc. This sonnet is one of the most famous poems in French literature and has been often imitated in English, translated by Andrew Lang and paraphrased by Thackeray. It embodies several poetical *motifs*, such as the immortality which one may win through a great poet's praise, the call to pleasure while life is young, and the thought of life and youth themselves as a quickly-fading rose. With this last *motif* are connected the contents of the equally famous ode to Cassandre (page 31). Sidney Lee traces the conceit of the "eternising" power of poetry in his *Life of Shakespeare*, and calls Ronsard "mainly responsible for its universal vogue among the Elizabethan sonneteers" (cf. S. Lee, *Elizabethan Sonnets*, Vol. I. Introd. p. lv). Corneille's poem called the *Stances à Marquise* is in the same vein as Ronsard's sonnet. See also the plebeian counterpart in Béranger's *Bonne vieille.* Note also the form which the idea takes in these lines of W. B. Yeats:

> When you are old and gray and full of sleep,
> And nodding by the fire, take down this book,
> And slowly read, and dream of the soft look
> Your eyes had once, and of their shadows deep;
>
> How many loved your moments of glad grace,
> And loved your beauty with love false or true;
> But one man loved the pilgrim soul in you,
> And loved the sorrows of your changing face.
>
> And bending down beside the glowing bars
> Murmur, a little sadly, how love fled
> And paced upon the mountains overhead
> And hid his face amid a crowd of stars.

The call to pleasure while life is young (a form of Horace's *Carpe diem*), is found in innumerable passages expressive of the

Anacreontic mood. It is usually traced back to lines attributed to Ausonius, but probably not by him:

> Collige, virgo, rosas, dum flos novus et nova pubes,
> Et memor esto aevum sic properare tuum.

See also C. Joret, *la Rose dans l'antiquité et au moyen âge*, and, on the influence of Philostratus on the fading-flower *motif*, Percy Osborn, *Roseleaves from Philostratus*, in *Fortnightly Review*, Jan., 1898. See also, *infra*, the note on Ronsard's ode to Cassandre (page 31), "Mignonne, allons voir si la rose," etc. The thought is found in the Italian Renaissance poets like Poliziano and Lorenzo de' Medici (cf. E. Parturier, *Quelques sources italiennes de Ronsard au XVe siècle*, in *Revue de la Renaissance*, 1905), in the French poets of the sixteenth century themselves, in English writers like Herrick:

> Gather ye roses while ye may,
> For time is still a-flying,
> And many a flower that blooms to-day
> To-morrow will be dying.

See, for instance, also Cowley's translation of an Anacreontic ode:

> Fill the bowl with rosy wine!
> Around our temples roses twine!
> And let us cheerfully awhile,
> Like the wine and roses smile.
> Crown'd with roses we contemn
> Gyges' wealthy diadem.
> To-day is ours; what do we fear?
> To-day is ours; we have it here:
> Let's treat it kindly, that it may
> Wish, at least, with us to stay.
> Let's banish business, banish sorrow;
> To the gods belongs to-morrow.

The thought of life and youth as a quickly fading rose merges into the previous idea. One of the most famous passages in French poetry is in Malherbe's *Stances à M. du Périer:*

> Mais elle était du monde, où les plus belles choses
> Ont le pire destin;
> Et rose elle a vécu ce que vivent les roses,
> L'espace d'un matin.

H. Guy has an article on this topic: "Mignonne, allons voir si la rose. . . . Réflexions sur un lieu commun" in the *Revue Philomathique* of Bordeaux, 1902. See also J. A. Symonds, *The Pathos of the Rose in Poetry* in *Essays Speculative and Suggestive* (Catullus, Ausonius, etc.). For the thought of the rose as beauty see also Austin Dobson's *Fancy from Fontenelle* ("De mémoire de roses on n'a point vu mourir le jardinier"):

> The Rose in the garden slipped her bud,
> And she laughed in the pride of her youthful blood,
> As she thought of the Gardener standing by —
> "He is old, — so old! And he soon must die!"
>
> The full Rose waxed in the warm June air,
> And she spread and spread till her heart lay bare;
> And she laughed once more as she heard his tread —
> "He is older now! He will soon be dead!"
>
> But the breeze of the morning blew, and found
> That the leaves of the blown Rose strewed the ground;
> And he came at noon, that Gardener old,
> And he raked them gently under the mould.
>
> *And I wove the thing to a random rhyme,*
> *For the Rose is Beauty, the Gardener, Time.*

5. **devidant.** A variant reading is *devisant*.

Page 25. — 1. **vieillars,** the old men at the Scaean Gates, marvelling at the beauty of Helen as she went by. Cf. *Iliad*, Bk. III: "These had now ceased from battle for old age, yet were they right good orators, like grasshoppers that in a forest sit upon a tree and utter their lily-like voice; even so sat the elders of the Trojans upon the tower. Now when they saw Helen coming to the tower they softly spake winged words one to the other: 'Small blame is it that Trojans and well-greaved Achaians should for such a woman long time suffer hardships; marvellously like is she to the immortal goddesses to look upon. Yet even so, though she be so goodly, let her go upon their ships and not stay to vex us and our children after us.'" — Translation by Lang, Leaf and Myers.

2. **je m'en-vois** = *je m'en vais*.

Page 26. — 1. **vespre** = *soir.*

2. **Le temps s'en va.** Compare with this poem Austin Dobson's *Paradox of Time*, a "variation of Ronsard," which begins:

> Time goes, you say? Ah, no!
> Alas! Time stays, we go;
> Or else were this not so,
> What need to chain the hours,
> For youth were always ours?
> Time goes, you say? — ah, no!

3. **lame,** i.e., 'tombstone.'

Page 27. — 1. **Corydon,** a fanciful name with classical reminiscences (cf. Virgil's second *Eclogue*) which Ronsard gives to his valet.

2. **l'huis,** *the door.*

3. **rien,** in a positive sense, i.e., *quelque chose* (Latin *rem*).

4. **à requoy,** *in peace.*

5. **si,** *even if.*

6. **Madame Marguerite.** This refers to the second of the three princesses bearing the name Marguerite de Valois in the sixteenth century. The other two were also known as Marguerite de Navarre, one being the famous sister of Francis I, poetess and writer of the *Heptameron*, the other being the first wife of Henry of Navarre, afterwards Henry IV. This Duchess of Savoy was a great patroness of letters, a friend of Ronsard and one of the most learned women of her day. The present poem is an example of Ronsard's heroic Pindaric odes divided into strophes, antistrophes and epodes. The most famous is the long one addressed to Michel de l'Hospital, but this shorter one will serve as a good illustration of the *genre.*

Page 28. — 1. **esselle** = *aisselle.*

Page 29. — 1. **courage** = *cœur.*

2. **mettre à chef,** *carry out* ('bring to a head').

3. **souloit,** *was wont.*

Page 30. — 1. **voire,** *indeed.*

2. **gist,** *lies,* from *gésir,* a defective verb.

3. **loz,** *praise.*

Page 31. — 1. **Horace.** Callimachus, Pindar, Horace, examples of great Greek and Latin poets.

2. **A Cassandre.** On the *motif* of this poem, see the note on the sonnet "Quand vous serez bien vieille," page 24. J. Vianey

in *le Pétrarquisme en France au XVIe siècle*, speaking of the imitation of the Italian strambottists who had used the *motif* of "cueillez votre jeunesse," says (page 41, note 1): "Ai-je besoin d'ajouter que ce thème est celui d'un certain nombre de pièces de *l'Anthologie grecque* et qu'avant d'avoir été repris par l'école de Séraphin, il avait inspiré a Politien une admirable stance (qui est probablement la source principale de l'odelette de Ronsard *Mignonne allons voir si la rose*): Deh, non insuperbir per tua belleza. . . . ?" The poem of Ronsard has often been translated into English, by Andrew Lang among others. One of the best versions is the following from *Underneath the Bough*, by George Allan England:

Come sweet, away! Come see the rose,
Now that the day draws near its close,
See whether it be faded grown —
Whether at evening fall away
Those leaves that opened to the day,
Or dies their blush, so like thine own.

Thou seest, dear love, its beauties pass,
Its wasted petals fall, alas!
In one short hour. It may not bide.
Unkind in truth is Mother Earth,
Since dawn gives such a flower its birth
And Death draws near at eventide.

So, sweet my darling, hear my voice,
I bid thee in thy youth rejoice!
Before thy fragile petals close
Gather thy blossoms whilst thou may,
With time they fall and fade away
As droops at night the withered rose.

3. **vesprée,** *evening.*

4. **fleuronne,** *is in its flower.*

Page 32. — 1. **Fontaine Bellerie.** This poem is Ronsard's equivalent to Horace's ode to the Bandusian spring and is directly inspired by it. The Fontaine Bellerie was a spring near Ronsard's manor of La Possonnière in the village of Couture.

2. **Fuyantes.** In the sixteenth century the present participle was usually variable.

3. **satyreau,** diminutive of *satyre.*

Page 33. — 1. **bestial** = *bétail.* Now only an adjective.

2. **jazarde,** adjective connected with the verb *jaser.*

3. **trepillante,** adjective connected with *trepiller,* "fréquentatif du verbe *treper,* encore usité dans le centre de la France pour *sauter*" (Mellerio, *Lexique de Ronsard*).

4. **Forest de Gastine.** The forest of Gastine was near the village of Montrouveau, not far from Couture. Ronsard is ever singing of its beauty. Only a few groves are left to-day. It must not be confused with the better known district of Gâtine in Poitou. Longfellow translated this poem in his *Poems of Places.*

5. **Erymanthe.** The forests on Mount Erymanthus in Arcadia, where Hercules slew the Erymanthian boar.

Page 34. — 1. **Arate.** Aratus, a Greek poet of the third century B.C., author of, among other works, the *Phaenomena,* an introduction to the knowledge of the constellations with the rules for their risings and settings. Belleau, Ronsard's fellow-member of the Pléiade, was one of its translators.

2. **accrestre** = *accroître.*

3. **Orque.** The Romans used the names Orcus, Dis and Tartarus as synonymous with Pluto or Hades, the god of the Nether World.

4. **fier,** *cruel* (Latin *ferus*).

5. **Corydon,** cf. page 27, note 1.

6. **tapon,** *stopper.*

Page 35. — 1. **pompons,** a sort of white melon.

2. **Ores que,** *now that.*

3. **L'Amour mouillé.** This poem, like the story of Love and the Bee (page 39), is an excellent example of Ronsard's Anacreontism, for the vogue of which fashion Henri Estienne was chiefly responsible (cf. page 43, note 5). French imitators in the sixteenth century of this particular Anacreontic poem were, besides Ronsard, Belleau, Olivier de Magny and Jean Doublet. La Fontaine told the same story in the seventeenth century. See A. Delboulle, *Anacréon et les poèmes anacréontiques,* 1891.

4. **Robertet.** Fleurimont Robertet, a friend of Ronsard and Belleau.

5. **Menelas.** Menelaus, the husband of Helen who was carried off by Paris.

6. **retraire,** *give hospitality to* (Latin *retrahere*).

Page 36. — 1. **huy,** *door.*

2. **turquois,** *Turkish.*

Page 37. — 1. **empesché,** *puzzled.*

2. **murmure,** *incantation.*

Page 38. — 1. **chef** = *tête.*

2. **perruque** = *chevelure.*

Page 39. — 1. **L'Amour et l'abeille.** This poem, like *l'Amour mouillé*, is one of the numerous versions of an Anacreontic model, itself drawn from an epigram by Theocritus. There are parallel renderings among sixteenth-century French poets alone by Belleau, Baïf, Olivier de Magny, Jean Doublet and Richard Renvoisy. A burlesque by Binet appeared in the poems composing the *Puce* of Mme des Roches. It has been very diffusely adapted by Spenser in English, and more satisfactorily by Herrick, not to mention Thomas Moore's translation.

2. **avettes,** *bees.*

Page 40. — 1. **halesne** = *alène.* A sharp instrument like an awl; here = 'shaft.'

2. **sagettes,** *arrows.*

3. **arondelles** = *hirondelles.*

4. **cocus,** *cuckoos.*

5. **tourtres,** *turtledoves.*

6. **Ajax.** When Ajax died, from his blood there sprang a purple flower bearing the letters *Ai* on its leaves, which were the initials of his name and expressive of a sigh. According to another tradition, this flower was the Greek hyacinth, a sort of iris or larkspur with markings somewhat as suggested. This flower was supposed to have grown from the blood of Hyacinthus, accidentally killed by Apollo. So Drummond of Hawthornden, in his *Tears on the Death of Mœliades:* "O Hyacinths, for ay your AI keep still."

7. **Narcisse.** Narcissus fell in love with his own image in a fountain and pined to death, when his body was transformed into the flower bearing his name.

Page 41. — 1. **Au prix des,** *compared with the.*

2. **lambrunche,** *vine.*

3. **drillants,** *bustling,* from the old verb *driller.*

Page 42. — 1. **ny** = *nid.*

2. **devant** = *avant.*

Page 43. — 1. **Daurat,** the teacher of the Pléiade.

2. **Jodelle.** Etienne Jodelle, the dramatist of the Pléiade.

3. **la musine troupe,** *the band fond of the Muses.*

4. **pendre,** *offer* (Latin *pendere*).

5. **Henry Estienne.** The great humanist, scholar and printer, whose edition in 1554 of the pseudo-Anacreontic poems caused such a sensation in the world of letters.

6. **teïenne.** Anacreon was born at Teos, an Ionian town of Asia Minor.

Page 44. — 1. **ouvrage,** cf. Horace's *Exegi monumentum aere perennius.*

2. **à l'heure,** *at that time.*

3. **fatalement,** *by fate.*

4. **deux harpeurs,** Pindar and Horace.

Page 45. — 1. **coudre** = *coudrier.* — **ramée,** *covered with branches.*

2. **Terée.** Pandion, king of Attica, had two daughters, Philomela and Procne, the latter of whom he gave in marriage to Tereus as a reward for help against an enemy. Their son was Itys. But Tereus fell in love with his sister-in-law Philomela. Procne killed her child, served him on a dish to Tereus, and fled with her sister. When he pursued them, they prayed to be changed into birds. Procne became a nightingale, Philomela a swallow, and Tereus a hoopoo.

3. **Qu'ils** for *qu'elles.*

4. **doy** = *doigt.*

Page 46. — 1. **crespé,** *wrinkled* (literally 'curled').

2. **Eglogues.** This is a fragment only of Ronsard's first eclogue, written under the inspiration of poets like Theocritus, Virgil, Sannazaro and Navagero. The eclogues of Ronsard were destined to celebrate court functions, and the shepherds and shepherdesses stand, not for rustics, but for princes and princesses of the royal house. No criticism was ever more false than that of Boileau in his *Art poëtique* that Ronsard makes his characters speak "comme on parle au village." It is precisely what they do not do. The attraction of the eclogues lies in many descriptions of nature, though they are rather bookish in

character, and appeal chiefly to those already fond of Ronsard's classical models. Cf. F. Torraca, on the *Imitatori stranieri di Jacopo Sannazaro*, 1882, and P. Kuhn, *l'Influence néo-latine dans les églogues de Ronsard*, in *Rev. d'Hist. litt. de la France*, 1914.

3. **Orléantin,** the duke of Orleans, brother of Charles IX.

Page 47. — 1. **martelée,** *spotted.*

2. **carquan,** *necklace.*

3. **cosser,** *to ram;* now only intransitive, *to butt.*

4. **abaye,** from *aboyer.*

Page 48. — 1. **cleron** = *clairon.*

2. **privé,** *tamed.*

3. **Angelot,** the duke of Anjou, brother of Charles IX.

4. **doute** = *redoute.*

Page 49. — 1. **crouillet,** *bolt.*

2. **Navarrin,** the king of Navarre, afterwards Henry IV.

Page 50. — 1. **senestre,** *left.*

2. **infante,** *childish* (now *enfantin*).

3. **bouquin,** the god with the feet of a goat.

4. **Mort** = *mord* ('bites').

Page 51. — 1. **houbelon** = *houblon.*

2. **Guisin,** the duke of Guise.

3. **Radoubant,** *mending.*

4. **alesne,** *awl.*

5. **goy,** *pruning-knife.*

6. **baillant** = *donnant.*

7. **nouds** = *nœuds.*

Page 52. — 1. **mignotez,** *smoothed.*

2. **panetiere,** *pouch.*

Page 53. — 1. **Margot.** Marguerite, duchess of Savoy, or Marguerite de Valois, sister of Charles IX.

Page 54. — 1. **A son âme.** The two poems *A son âme* and *Pour son tombeau* appear in Binet's life of Ronsard. The former is an adaptation of verses composed by the emperor Hadrian just before his death, as told by Aelius Spartianus in his life of Hadrian:

> Animula vagula, blandula,
> Hospes, comesque corporis,
> Quae nunc abibis in loca?
> Pallidula, rigida, nudula,
> Nec, ut soles, dabis jocos.

The quaint charm of the diminutives is copied by Ronsard, though his diminutives express rather the self-conscious sixteenth-century *mièvrerie*. Dignity is quite absent from Fontenelle's version in his *Dialogues des Morts:*

> Ma petite ame, ma mignonne,
> Tu t'en vas donc, ma fille? Et Dieu sache où tu vas!
> Tu pars seulette, et tremblotante, hélas!
> Que deviendra ton humeur folichonne!
> Que deviendront tant de jolis ébats!

The verses of Hadrian have been several times imitated in English. Prior translated them:

> Poor, little, pretty, fluttering thing,
> Must we no longer live together?
> And dost thou prune thy trembling wing,
> To take thy flight, thou knowst not whither?
> Thy humorous vein, thy pleasing folly,
> Lie all neglected, all forgot;
> And pensive, wavering, melancholy,
> Thou dread'st and hop'st, thou knowst not what.

Byron wrote:

> Ah! gentle, fleeting, wav'ring sprite,
> Friend and associate of this clay!
> To what unknown region borne,
> Wilt thou now wing thy distant flight?
> No more with wonted humor gay,
> But pallid, cheerless and forlorn.

In the *Reliques of Father Prout* we find:

> Wee soul, fond rambler, whither, say,
> Whither, boon companion, fleest away?
> Ill canst thou bear the bitter blast —
> Houseless, unclad, affright, aghast;
> Jocund no more! and hush'd the mirth
> That gladden'd oft the sons of earth!

Alexander Pope wrote in the *Spectator* of Nov. 10, 1712: "I was the other day in company with five or six men of some learning; when, chancing to mention the famous verses which the emperor Adrian spoke on his death-bed, they were all agreed that it was a piece of gaiety unworthy that prince in those circumstances. I could not but dissent from this opinion. Methinks it was by no means a gay but a very serious soliloquy to his soul at the point of his departure: in which sense I naturally took these verses at my first reading them, when I was very young, and before I knew what interpretation the world generally put upon them."

JOACHIM DU BELLAY

Joachim du Bellay (1522?–1560) was the chief poet of the Pléiade after Ronsard and the author of its manifesto, the *Défense et Illustration de la langue française.* His poetry is characterized by tender sentiment and by keen satire. He has more than any of his contemporaries a personal touch, the quality of *intimité* as Sainte-Beuve, echoed by Walter Pater, calls it. He is one of the truest poets of his century. The modern editions of Du Bellay's French works are by Marty-Laveaux, and (a less satisfactory one) by Léon Séché. A new and scholarly edition is in course of publication for the *Société des textes français modernes* by H. Chamard. The same writer is the author of the standard study of Du Bellay's life and works.

Page 56. — 1. **aelez** = *ailés.*

2. **modes.** Not 'fashions,' but *modes* (of music), a word now masculine in French.

3. **Thebain archer,** Cadmus, the founder of Thebes.

4. **sajettes,** *arrows.*

5. **Angevines.** Du Bellay is as fond of Anjou as Ronsard is of his district of Vendômois.

6. **faix,** *weight.*

7. **Si nostre vie,** etc. Contrast the idealism of this love-sonnet with the tone of Marot's *Bon vieux temps* (page 13). This poem expresses the sixteenth-century poetic Platonism so popular with the poets of the time. Critics since Sainte-Beuve have pointed out the coincidence in thought between this poem and Lamartine's *Isolement:*

> Mais peut-être au delà des bornes de sa sphère,
> Lieux où le vrai soleil éclaire d'autres cieux,
> Si je pouvais laisser ma dépouille à la terre,
> Ce que j'ai tant rêvé paraîtrait à mes yeux!

Là, je m'enivrerais à la source où j'aspire;
Là, je retrouverais et l'espoir et l'amour,
Et ce bien idéal que toute âme désire,
Et qui n'a pas de nom au terrestre séjour!

There is something of this, too, in Alfred de Vigny: "Pendant que Victor Hugo cultivait l'ode, l'élégie, la ballade, Sainte-Beuve ressuscitait le sonnet, et Vigny chantait l'amour mystique et platonique à l'exemple, sinon sur le mode, de Maurice Scève et de Joachim, car *Eloa* est la fille spirituelle de *Délie* et de l'*Olive*, et nous savons par Auguste Barbier que Vigny apprit à lire et à penser dans les œuvres poétiques de Joachim." — L. Séché, in his edition of Du Bellay's *Défense*, page 227. This poem of Du Bellay is itself a close imitation of an Italian original by Bernardino Daniello, beginning:

Se l' viver nostro è breve oscuro giorno
Press' a l' eterno, e pien d' affanni e mali, etc.

Page 57. — 1. **empanée,** *feathered.*

2. **Antiquités.** The melancholy of ruins has long been a familiar *motif* in literature. Often they are used to illustrate the evanescence of human grandeur; often, especially in the poets, they express the *pleasurable* sorrow of brooding contemplation. The romantic poets have in particular played upon this *motif*, and Du Bellay in this, as in many other respects, anticipates the modern romanticists. So, in the *Antiquités* he reflects on the instability of grandeur and glory. There is a famous and often quoted letter from Servius Sulpicius Rufus to Cicero on the death of the latter's daughter Tullia and included in Cicero's correspondence. In this letter Sulpicius Rufus describes sailing along the coast of Attica and drawing a lesson from the vision of many ruined cities once so great and powerful. In the third chapter of John Addington Symonds' *Revival of Learning* will be found some interesting comments on the effect of the ruins of ancient Rome on Petrarch, Poggio Bracciolini, those of Baiae on Boccaccio in the *Fiammetta*, of Cumae on Sannazaro, of the ancient sites of Italy on Aeneas Sylvius Piccolomini. Says Georges Pellissier in Petit de Julleville's *Histoire de la littérature française* (Vol. III, p. 196) speaking of the *Antiquités:* "Le poète y exprime pour la première fois dans notre langue cette

poésie des ruines, que nous ne retrouverons plus au XVIIe siècle, sinon peut-être chez quelque disciple attardé de la Pléiade [as in the *Solitude* of Saint-Amant], et que nous rendra le romantisme avec Chateaubriand et Lamartine." So one might mention almost at random for different phases of the influence of ruins, Gibbon planning amid the ruins on the Capitoline Hill the history of the Decline and Fall, the *Ruines* of Volney, the sentiment of Mme de Staël's *Corinne*, Byron, etc.

3. **Sacrez costaux,** etc. This sonnet is translated from an Italian one by Baldassare Castiglione, author of the *Cortegiano* (cf. *Revue d'Hist. litt. de la France*, Vol. I. p. 97), beginning:

> Superbi colli, e voi sacre ruine,
> Che 'l nome sol di Roma anchor tenete;
> Ahi che reliquie miserande havete
> Di tante anime, eccelse e pellegrine!

4. **atterre,** *brings to the ground.*

Page 58. — 1. **arene,** *sand.*

2. **Qui a veu,** etc. Sonnet imitated from Lucan's *Pharsalia*, I. 136–143.

3. **torte,** *twisted.*

4. **poix** = *poids.*

Page 59. — 1. **Les Regrets.** In the *Regrets* the meditative spirit of Du Bellay among the ruins of Rome has changed to homesickness for France, and especially for his native Anjou. His *Regrets* are like the *Tristia* of Ovid, and he feels, like Ovid, an exile from home. So he looks with repulsion on the new Rome and satirizes its corruption.

2. **Grecs,** cf. Horace, *De arte poetica*, ll. 268–269:

> Vos exemplaria Graeca
> Nocturna versate manu, versate diurna.

3. **la moitié de mon ame,** cf. the Latin *Animae dimidium meae*, as Horace, *Odes*, I. iii. 8.

Page 60. — 1. **raiz** = *rayons.*

2. **querelle,** *complaint.*

Page 61. — 1. **Ce pendant que,** etc. Olivier de Magny was in Italy in the train of d'Avanson; Panjas, a minor poet and author of French and Latin verses, accompanied the Cardinal de Lorraine or the Cardinal de Châtillon; Du Bellay was secretary of his kinsman the Cardinal du Bellay. The sonnet is addressed to Ronsard.

2. **l'heur** = *le bonheur.*

3. **Henry,** King Henry II.

4. Of this sonnet Sainte-Beuve says, in the *Nouveaux Lundis* (Vol. XIII): "Je ne sais point de plus beau sonnet en ce genre élégiaque que le seizième des *Regrets*, et qui paraît adressé a Ronsard. Du Bellay y met en contraste l'heureux poète qui brille et fleurit en Cour de France et les trois exilés, Magny, Panjas et lui-même, qui, pour s'être attachés à d'illustres patrons, sont comme relégués et échoués au loin sur les bords du Tibre. . . . Cette image des trois poètes, comparés à trois cygnes *arrangés flanc à flanc* et exhalant leur âme dans leur chant suprême, m'a rappelé un beau passage du *Génie du Christianisme*, les deux cygnes de Chateaubriand. . . . Même après le trait de pinceau de cette imagination merveilleuse, même après *le Poète mourant* de Lamartine, où la similitude du cygne est le motif dominant, le sonnet du Du Bellay peut se relire."

5. **Malheureux,** etc. A recollection of Petrarch:

> Benedetto sia 'l giorno, e 'l mese, e l' anno,
> E la stagione, e 'l tempo, e l' ora, e 'l punto,
> (Sonnet XLVII)

This passage of Petrarch Christine de Pisan also has in mind, when she says:

> Benoite soit la journée,
> Le lieu, la place et demeure, etc.
> (Roy edition, Vol. III. p. 158)

Page 62. — 1. **l'huis,** *the door.*

2. **cestuy là,** i.e., Jason.

3. **usage,** *experience.*

4. **Lyré.** Du Bellay was born in the little village of Liré in Anjou (cf. *la doulceur angevine*) on the southern bank of the Loire.

5. This sonnet is perhaps the most famous poem of Du Bellay. It is justly praised for its sentiment and love of home (cf. Chateaubriand's "Combien j'ai douce souvenance," etc.) and the vivid touch of the exiled poet seeing in memory the smoke curling above the slate roofs of his Anjou home. The allusion to the smoke is found even in antiquity. Du Bellay's poem is a rendering into French of one of his own Latin compositions, from

which some lines are here inserted to show the superiority of the French:

> Felix, qui mores multorum vidit, et urbes,
> Sedibus et potuit consenuisse suis.
> Ortus quaeque suos cupiunt, externa placentque
> Pauca diu, repetunt et sua lustra ferae.
> Quando erit, ut notae fumantia culmina villae,
> Et videam regni iugera parva mei?
> Non septemgemini tangunt mea pectora Colles,
> Nec retinet sensus Tybridis sensus meos.
> Non mihi sunt cordi veterum monumenta Quiritûm,
> Nec statuae, nec me p'cta tabella iuvat:
> Non mihi Laurentes nymphae, sylvaeque virentes,
> Nec mihi, quae quondam, florida rura placent.

6. **caute,** *cautious.*

Page 63. — 1. **Thudesque,** *German.*

2. **Palais,** the Vatican.

3. **tabourin** = *tambourin.*

4. **troppe** = *troupe.*

5. **Paschal.** Pierre de Paschal, historiographer, friend of Ronsard and the Pléiade.

Page 64. — 1. Of this poem Sainte-Beuve (*op. cit.*) says: "Il a des peintures, des esquisses prises sur le fait et au naïf, de la Rome moderne, de la Rome papale et cardinalesque. Arrivé sous le pontificat relâché et dissolu de Jules III, il vit Marcel II, qui ne régna que vingt et un jours. Il était aux premières loges pour décrire un conclave; il ne s'en fait faute, et l'on a en quatorze vers la réalité mouvante du spectacle, la brigue à huis clos, les bruits du dehors, les fausses nouvelles, les paris engagés pour et contre."

2. **gouverner,** *converse with.*

3. **Morel.** Jean de Morel of Embrun, a patron of men of letters and one of Du Bellay's most intimate friends.

Page 65. — 1. **grave sourci,** *solemn brow.*

2. **soubriz,** *smile.*

3. **Messer non,** *no, sir* (Ital.).

4. **E cosi,** *it is so.*

5. **son Servitor'** = *sono servitore,* 'I am your servant.'

6. **Seigneuriser,** *pay honor.*

7. Sainte-Beuve (*op. cit.*) says: "Cette vie qui s'use en simagrées, en cérémonies, en visites, en faux semblants, trouve en

Du Bellay son dessinateur à la plume. Il nous rend à merveille le fin mot de cette Cour romaine du XVIe siècle, ce qui la distingue en général des autres Cours par son caractère de douceur, de finesse et de ruse."

Page 66. — 1. **j'ahanne,** *I toil.* Obsolete verb of uncertain etymology.

2. This is a very famous poem, more than once translated by English writers, including Andrew Lang in his *Ballads and Lyrics of Old France.* Du Bellay himself had adapted it from a Latin poem by the Italian neo-Latin poet Navagero (Naugerius).

Vota ad auras

Aurae, quae levibus percurritis aera pennis,
Et strepitis blando per nemora alta sono,
Serta dat haec vobis, vobis haec rusticus Idmon
Spargit odorato plena canistra croco.
Vos lenite aestum et paleas seiungite inanes,
Dum medio fruges ventilat ille die.

Page 67. — 1. **Dialogue d'un amoureux et d'Echo.** The echo song was a favorite device in the poetry of the Renaissance. Numerous examples are found in Italian literature, whence it was taken by the French of the sixteenth and seventeenth centuries. This poem of Du Bellay is said to be the first echo song in French.

JEAN-ANTOINE DE BAÏF

Jean-Antoine de Baïf (1532–1589) was a voluminous writer but has often been scorned as the pedant of the Pléiade. This verdict is unfair, yet a large selection from Baïf is unnecessary, because one finds in him little that is not in Ronsard or Du Bellay. He was much interested in reformed spelling and in metrical experiments. The second extract is a specimen of these experiments. The only complete modern edition of Baïf is the rare and expensive one by Marty-Laveaux. The authoritative study of Baïf is by Mathieu Augé-Chiquet, 1909.

Page 68. — 1. **Miel,** see page 39.

2. **drois,** *stings.*

3. **Dépit** = *dépité,* 'vexed.'

4. **orine,** *golden.* — **Cytere,** *Venus.*
5. **mingrelette,** *puny.*

Page 69. — 1. **aronde** = *hirondelle.*
2. **affutés,** *prepared.*
3. **Terée,** cf. page 45, note 2.

REMY BELLEAU

There is not much to be said concerning Remy Belleau (1526 or 7–1577). He was a member of the Pléiade and an intimate friend of Ronsard. He translated with success the Anacreontic collection, and wrote among other verses descriptions of precious stones, the *Pierres précieuses*, and the *Bergerie* in prose and verse (from which the following extract is taken). Belleau was a graceful writer, "le gentil Belleau." There is no detailed study of Belleau in French. In German there is H. Wagner, *Remy Belleau und seine Werke*, 1890. The two modern editions of his works are by A. Gouverneur, 3 vols., 1867, and by Marty-Laveaux, 2 vols., 1877–1878.

Page 70. — 1. **Avril.** This poem has been translated by Andrew Lang in his *Ballads and Lyrics of Old France.*
2. **pers,** *blue.*
3. **ælle** = *aile.*
4. **és,** *in the.*
5. **embasmant** = *embaumant.*

Page 71. — 1. **Cypris,** *Venus.*

Page 72. — 1. **croupi,** *smouldering.*
2. **mussent,** *hide.*
3. **celle.** i.e., Venus or Aphrodite.

OLIVIER DE MAGNY

Olivier de Magny (1529?–1561) was born at Cahors in Quercy, the home of Clément Marot. He lived for a time in Italy as secretary of the French envoy Jean d'Avanson and was the friend there of Du Bellay. Many of their Roman sonnets deal with similar subjects. Olivier de Magny is one of the very best of the minor poets of the school of the Pléiade. He has ease, wit, grace, sentiment. Some of his verses are among the best reproductions of the spirit of Horace that we find in sixteenth-century poetry. The biography of Olivier de Magny is by J. Favre, 1885, and the standard edition of his poems is by Courbet, 6 vols., 1871–1881. See also L. E. Kastner in *Modern Philology*, 1909, on *The Sources of Olivier de Magny's Sonnets*.

Page 73. — 1. **Bien heureux,** etc. This poem is on the *motif* of *Beatus ille qui procul negotiis.*

2. **L'hyver,** etc. This poem is on the *motif* of Horace's *Solvitur acris hiemps.*

3. **Girard.** Jean Girard of Le Mans, a friend of various members of the Pléiade.

4. **chef** = *tête.*

5. **Philomene.** Progne and Philomene are the nightingale and the swallow.

Page 74. — 1. **Hola, Charon,** etc. This was one of the most successful poems of the sixteenth century and was set to music by Orlande de Lassus (1567). It is taken almost literally from a *strambotto* by Marc' Antonio Magno di Santa Severina. See J. Vianey in *Revue d'Hist. litt. de la France*, 1905, p. 467.

JEAN PASSERAT

Jean Passerat (1534–1602) was a scholar and professor, a political satirist and collaborator in the *Satire Ménippée*, no less than a sprightly poet. His vein is the *esprit gaulois* of Marot or Rabelais, or again he expresses some pretty little sentiment. In spite of his rubicund face and his jovial satire, he was in reality a man of judicious discernment and of high standards of taste. The modern edition of Passerat's French verse is edited by P. Blanchemain, 2 vols., 1880. There is no good French study. In German there is *Jean Passerat, sein Leben und seine Persönlichkeit* by E. von Mojsisovics, Halle, 1907.

Page 75. — 1. **May.** This poem has been translated by Andrew Lang in his *Ballads and Lyrics of Old France.* For the *motif*, cf. page 31.

Page 77. — 1. **tabourins,** *drums.*

2. **ectique** = *étique;* cf. English 'hectic.'

Page 78. — 1. **poise** = *pèse*, from *peser.*

MESDAMES DES ROCHES

The dames des Roches, the mother Madeleine des Roches and her daughter Catherine, were two intellectual ladies of Poitiers. They may almost be said to have had a sort of literary *salon*, frequented by clever men who admired them. They both died of the plague on the same day in 1587. This little poem, an example of distaff literature (cf. Theocritus, Idyll XXVIII) is a pretty trifle. It is usually attributed to the daughter.

AGRIPPA D'AUBIGNÉ

Théodore Agrippa d'Aubigné (1552–1630) was a Huguenot warrior-poet and a vigorous prose writer as well. His early lyrics are under the inspiration of the Pléiade. His fame rests, however, rather on the *Tragiques*, a passionate religious and satirical epic on the contemporary wars of religion. Its violent rhetoric contains many striking passages. To d'Aubigné, Catherine de' Medici is largely responsible for the woes of France. His chief prose works are an autobiography, an *Histoire universelle* (of the religious wars) and the satirical *Aventures du baron de Fæneste.* The latest biographer of Agrippa d'Aubigné is S. Rocheblave (two works, 1910 and 1912). The standard edition of his works is by Réaume, de Caussade and Legouëz (6 vols., 1873–1892), except the *Histoire universelle*, edited for the Société de l'histoire de France by A. de Ruble, 9 vols., 1886–1897.

Page 80. — 1. **abayé** = *mis aux abois.*

2. **ma jeunesse.** Cf. Alfred de Musset:

> Ce livre est toute ma jeunesse;
> Je l'ai fait sans presque y songer.
> Il y paraît, je le confesse,
> Et j'aurais pu le corriger.

Mais quand l'homme change sans cesse,
Au passé pourquoi rien changer?
Va-t'en, pauvre oiseau passager;
Que Dieu te mène a ton adresse!

Qui que tu sois, qui me liras,
Lis-en le plus que tu pourras,
Et ne me condamne qu'en somme.

Mes premiers vers sont d'un enfant,
Les seconds d'un adolescent,
Les derniers à peine d'un homme.

Page 81. — 1. **Jesabel,** Catherine de' Medici.

2. **Ducs,** the Medici rulers at Florence.

3. **rabatus.** Irregular agreement of past participle, according to modern rules. D'Aubigné often makes the past participle conjugated with *avoir* agree with its object even when it follows.

4. **poison,** often feminine in the sixteenth century.

Page 82. — 1. **estranger,** adjective referring to *sang*.

DU BARTAS

Guillaume de Saluste, seigneur du Bartas (1544–1590), was a Huguenot writer of strong moral and religious convictions, who planned and partly wrote a great religious and epic treatment of the Creation and the history of humanity. *La Semaine* deals with the creation of the world, and the unfinished *Seconde Semaine* was to continue the story of civilization. Du Bartas ranked very high among his contemporaries and his reputation spread over all Europe. Joshua Sylvester's translation caused him to become an influence in England, where, it has been held, Milton found in him the idea of *Paradise Lost*. In his own country Du Bartas soon fell into disfavor because he was a Protestant and because of certain eccentricities of style which made him appear ridiculous to the disciplined classicists. There is no modern complete edition of Du Bartas. The standard literary and biographical study is by Georges Pellissier, *la Vie et les Œuvres de Du Bartas*, 1883.

Page 83. — 1. **bienheureux.** This passage is one of the numerous examples in the sixteenth century of the *motif* dealing with the happiness of rustic life, such as may be found in the *Hippolytus* of Seneca, in Virgil's *O fortunatos nimium, sua si bona norint, Agricolas*, or in Horace's *Beatus ille qui procul negotiis*.

2. **emprises** = *entreprises.*

3. **Gregeois** = *grec.*

4. **gobeau** = *gobelet.*

5. **Neree.** The name of the sea-god Nereus is used for the sea itself.

6. **cercher** = *chercher.*

Page 84. — 1. **jonc de Chus,** the Ethiopian reed, the seed of which was supposed to be a narcotic. Chus is the Biblical Cush, son of Ham and father of the Ethiopians.

2. **Mecene.** Maecenas, the great Roman patron of letters of the Augustan age, is said to have whiled away the suffering of the last three years of his life with music. *Les tons* are the sounds (of music).

3. **entrecassez,** *broken.*

4. **empennaché,** *crested.*

Page 85. — 1. **Sardanapale . . . Thersite . . . Adon.** Sardanapalus, the effeminate Assyrian king; Thersites, the ugliest and most deformed Greek at the siege of Troy; Adonis, the beautiful youth loved by Venus.

2. **Alceste . . . Flore.** Alcestis, the faithful wife of Admetus, who died to save her husband from death when he had neglected to offer a sacrifice to Artemis. Of Flora a baseless legend said she was a Roman courtesan who had amassed a fortune which she bequeathed to the people on condition that she be honored by the annual festival, the Floralia. To give the praise of Alcestis to Flora is equivalent to praising a prostitute for her virtue.

3. **manches,** *nets.*

4. **l'heur** = *le bonheur.*

5. **caimandent** = *quémandent.*

6. **à boutees,** *by fits and starts.*

7. **Gimone . . . Sarrapin,** streams near the château of Bartas.

8. **sans nul destourbier,** *without being disturbed.*

Page 86. — 1. **rond,** *straight forward.*

PHILIPPE DESPORTES

Philippe Desportes (1542–1606) was the most popular poet of the second half of the sixteenth century, becoming in the Italianized court of Henry III a greater favorite than Ronsard. He illustrates the poetic development which, dropping classical inspiration, turned towards Italian Petrarchism and the conceits of the inferior contemporary Italian Petrarchists. His poems, read in small numbers, are often pretty and sweet, but they tend to become, in abundance, artificial and mannered. The modern edition of Desportes is by Alfred Michiels, 1858. There have been numerous articles or chapters on separate points concerning Desportes, his models and his imitators by Flamini, Kastner, Joseph Vianey, etc., but there is no separate study of him.

Page 87. — 1. **Icare.** Daedalus and his son Icarus fastened wings to themselves with wax and tried to fly over the Aegean sea. Daedalus was successful, but Icarus went too near the sun, so that the wax melted and he fell into that part of the Aegean known as the Icarian sea.

2. **Sommeil,** etc. This sonnet is the source of Samuel Daniel's "Care-charmer Sleep, son of the sable Night." Sleep was a frequent theme of Renaissance poets in Italy, France, and England. "The admirable epithet 'care-charmer,' as well as the description of sleep as 'brother of death' which Daniel borrowed from Desportes is ultimately of Greek origin. Meleager in the Greek Anthology (*Pal.* xii. 127) sings of λυσίπονος ὕπνος. Homer and Hesiod both called sleep 'brother of death.' Such imagery was thoroughly naturalised in France. Very numerous instances of its employment could be given from the Pléiade writers." — Sidney Lee, *Elizabethan Sonnets*, Introd., p. lix. See the same work for specific references to Ronsard, Baïf, Pierre de Brach and Desportes' *Prière au Sommeil:* "Somme, doux repos de mes yeux." See also Drummond of Hawthornden's "Sleepe, Silence Child, sweet Father of soft Rest" and L. E. Kastner's edition of Drummond of Hawthornden (Vol. I. p. 168) for references to the Italian Della Casa and to Drummond's

own model, a sonnet by Marino, *O del Silentio figlio, e della Notte.*

3. **j'ards** = *je brûle.*

Page 88. — 1. **Rozette,** etc. This is a graceful little *villanelle* which the duc de Guise is said to have been humming just before he was murdered at the instigation of Henry III. Agrippa d'Aubigné wrote a poem in answer to this one, beginning:

> Bergers qui pour un peu d'absence
> Avez le cueur si tost changé,
> A qui aura plus d'inconstance
> Vous avez, ce croi' je, gagé,
> L'un leger et l'autre legere,
> A qui plus volage sera:
> Le berger comme la bergere
> De changer se repentira.

Page 90. — 1. **Moête** = *moite.*

2. **fors que,** *except.*

Page 91. — 1. **Je verray,** etc. Compare this poem with Ronsard's famous sonnet to Helen, page 24.